cómo hablar en público

RODRIGO FERNÁNDEZ LABRIOLA

longseller

Cómo hablar en público

EDICIÓN: Virginia Pisano
COORDINACIÓN DIVISIÓN ARTE: M. Constanza Gibaut

Longseller S.A.
Casa matriz: Avda. San Juan 777
(C1147AAF) Buenos Aires
República Argentina
Internet: www.longseller.com.ar
E-mail: ventas@longseller.com.ar

Fernández Labriola, Rodrigo
Cómo hablar en público – 1ª ed. 3ª reimp. – Buenos Aires: Longseller, 2008
128 pp.; 20 x 14 cm (Guías prácticas)
ISBN 978-987-550-295-6
1. Oratoria I. Título
CDD 808.51

Queda hecho el depósito que marca la ley 11.723.

Libro editado e impreso en la Argentina.
Printed in Argentina.

Esta edición de 3.000 ejemplares se terminó de imprimir en la Planta Industrial de Sevagraf S.A., Buenos Aires, República Argentina, en julio de 2008.

A Paula,
que me enseñó a hablar
con los otros.

ÍNDICE

INTRODUCCIÓN

Una experiencia al alcance de todos

Hablar en público es un acto de comunicación cuyas características esenciales son:

- Un **emisor único** que asume la responsabilidad de tomar la palabra para emitir un **discurso**.
- Un **receptor** múltiple (audiencia) que escucha y responde al final con su aprobación o su rechazo.
- Una circunstancia social de relevancia, íntima o pública (**evento**), cuya importancia se condensa en el momento de hablar en público.

En situaciones de comunicación más "naturales" (una charla entre amigos, una clase escolar, un grupo de trabajo) se establece un diálogo entre las personas que hablan. La efectividad de esta comunicación depende, entonces, de la interacción constante de cada una de las personas involucradas.

En un discurso, por el contrario, quien tiene la responsabilidad de hablar debe sostener solo la atención colectiva de sus oyentes, interesarlos y transmitirles una información determinada, y sobre todo, persuadirlos.

El diálogo se convierte en monólogo, y el orador debe observar a su auditorio para "descubrir" (a través de pequeños signos) la parte oculta de este diálogo: lo que el público piensa y no dice.

Hablar en público, por lo tanto, exige un conocimiento específico, y el objetivo de este libro es facilitar el tránsito por esta situación que suele generar tensiones.

En los tres primeros capítulos se desarrollan las características particulares del mensaje, el emisor y los receptores: cómo armar una estructura sólida que garantice un discurso exitoso, cuáles son los lenguajes del orador para ganarse al público, y cómo cautivar a las diferentes audiencias.

Según el tipo de evento social, los discursos pueden clasificarse en *íntimos* (fiestas, cumpleaños, cenas) o *públicos* (encuentros políticos, conferencias, colectas). Los **capítulos 4** y **5** desarrollan ejemplos prácticos en cada una de estas circunstancias y explican los recursos utilizados. Por razones de organización y de espacio, se dejaron a un lado los discursos en medios masivos (que son una de las variantes más comunes de los discursos públicos); para esos casos se sugiere consultar *Cómo hablar en radio y televisión,* de esta misma colección. También puede verse *Cómo realizar presentaciones exitosas*, para el caso de los eventos específicamente comerciales.

En los eventos públicos hay una persona a la que pocos prestan la debida atención, pero de quien depende gran parte del éxito del discurso: el moderador. Toda persona que habla en público puede verse en la obligación ocasional de presentar a otro orador o moderar a los que están hablando. En el **capítulo 6** se explican todos sus secretos.

No es raro que un buen orador o un experto en su campo de estudios sea convocado a dar una conferencia en el extranjero... ¡Terror! Esto puede parecer imposible para alguien a quien ya le resultaba difícil hablar frente a un público de compatriotas, que compartían la misma lengua, cultura y convenciones sociales. Pero no es tan grave; en el **capítulo 7** se desarrollarán paso a paso las medidas necesarias para sortear exitosamente este momento, incluso desconociendo por completo la lengua del auditorio.

Por último, el **capítulo 8** propone algunos ejercicios para afrontar la experiencia de hablar en público con confianza y tranquilidad.

Hablar en público
es una experiencia difícil.
Pero al alcance de todos.
Inténtelo.
¡Tiene todo para lograrlo!

Además, salvo que se esté jugando el destino de una nación, nada grave ocurrirá si las primeras veces su discurso falla. La mayoría de los asistentes pronto olvidará todo y volverá a su casa a cenar, como todos los días. La diferencia está en la posibilidad siempre latente de que su discurso sea brillante; y en ese caso, sí, ya no podrán olvidarlo... ¡Tal es el principio de todo reconocimiento social!

CAPÍTULO 1

La estructura del discurso

Desde la antigüedad clásica, la oratoria ha sido el arte de las palabras con mayor trascendencia social y política. Hablar en público fue y sigue siendo la manera más efectiva de convencer a quienes nos rodean de:

- quiénes somos,
- cuánto valemos,
- de qué somos capaces.

Nadie puede hacerlo por uno. Hablar en público es presentarse y representarse tal como se desea ser considerado.

Importante

Un buen orador no nace, se hace.

El **mayor peligro** que puede enfrentar una persona que habla en público es que su mente quede en blanco en el momento menos indicado.

También puede ocurrir que quien deba dar una alocución importante sea tímido, inseguro o sencillamente incapaz para expresarse ante un auditorio.

Todo esto tiene solución.

Para afrontar exitosamente un discurso, es necesario:

- definir su estructura y las ideas para expresar;
- después, hablar.

La estructura

Todo discurso en público consta de tres partes:

- el **principio** o apertura,
- el cuerpo o **desarrollo**,
- la **conclusión** o final.

Esta estructura guía las palabras del orador. Es una red que otorga unidad y brinda continuidad.

A los oradores experimentados les basta con recordarla: apenas unas líneas sobre un papel son el embrión de un discurso brillante.

El orador novato, en cambio, debe **escribir su discurso antes de hablar**.

Nota

El discurso no se escribe para leerlo en público, sino para organizar la alocución en el momento de hablar.

La potencia de la oratoria radica justamente, no en leer, sino en **hablar** y en todo lo que este acto implica.

Un discurso se escribe para:

- **Memorizarlo** todo o en parte y adaptarlo con soltura a las circunstancias del auditorio.

- **Lograr una estructura** sólida y bien pensada que resista la improvisación.

- **Definir claramente el contenido** para lograr la finalidad buscada.

La estructura, paso a paso

El objetivo primordial del inicio de un buen discurso es captar la atención del auditorio.

Para lograrlo, el comienzo de todo discurso se divide en tres partes:

- Primer principio o *palabras previas*.

- Segundo principio o *introducción*.

- Tercer principio o *reelaboración de la información* contenida en la introducción.

Primer principio: palabras previas

A diferencia de lo que ocurre en los textos escritos, el orador tiene la ventaja de pronunciar algunas palabras previas para:

- **Calibrar la acústica**. Es importante que el orador compruebe que se lo oye correctamente.

- **Preparar la recepción del público**. Es necesario acallar al público paulatinamente.

Importante

Saludos y fórmulas de cortesía

Las palabras previas preparan la recepción del discurso. Varían de acuerdo con el tipo de alocución, con el público y el momento.

Estas palabras previas deben decirse pausadamente.

Se mira al auditorio y con lentitud se saluda o se agradece la invitación.

El orador también puede referirse a alguna persona en particular, para felicitarla públicamente.

Discurso de un coordinador de ventas a su equipo de vendedores:

> *"Señoras y señores, buen día. Agradezco su presencia y es un placer verlos aquí hoy... a pesar de nuestro disgusto por privar de los buenos servicios de todos ustedes a los clientes de nuestra empresa... Quisiera felicitar también al señor X, que hoy cumple un año con nosotros, por cierto, un año de éxitos...".*

Otro ejemplo, de características más protocolares:

> *"Señor ministro de Educación, señora directora, docentes, padres, alumnos. Me llena de felicidad volver a este solar en el que transcurrió una parte importante de mi infancia... Agradezco emocionado esta invitación".*

Consejos

Como se ve en estos ejemplos, el orador no entra de lleno en el tema de su discurso. Estas palabras previas son un simple y amable llamado de atención al auditorio.

Un ejemplo informal podría plantearse en una cena de amigos o compañeros de trabajo para festejar un éxito conjunto:

"Distinguidas esposas, novias y amigas... siempre me he preguntado por qué nos aprecian tanto... Queridos amigos y compañeros... nosotros sabemos la respuesta... somos inteligentes, tiernos, exitosos... modestos (risas)... ¡y ganamos la licitación para la construcción del puente!".

Segundo principio: introducción

Cuando el público está preparado para escuchar, es necesario **interesarlo en el tema** y sostener su atención mediante una introducción que sea clara y breve.

Esta introducción o segundo principio tiene como objetivo primordial enunciar de manera concisa el tema o el motivo del discurso.

Entonces, la introducción debe responder, sintéticamente, a las siguientes preguntas:

- Qué
- Quién
- Por qué
- Cuándo
- Dónde

Si se retoma el ejemplo del coordinador de ventas propuesto previamente, su discurso podría continuar de esta manera:

*"... Los he convocado a esta reunión de capacitación (**qué**) para presentarles nuestro nuevo producto (**por qué**). El XX (nombre del producto) ha sido desarrollado por el departamento de servicios financieros (**quién**) y a partir del próximo mes (**cuándo**) ustedes podrán ofrecerlo a nuestros clientes corporativos (**dónde**)".*

Importante

Cinco preguntas

Las cinco preguntas básicas, creadas por el periodismo norteamericano, son una excelente ayuda memoria para los oradores. Ocasionalmente, también puede agregarse a la introducción la información del *cómo*.

Ejemplo:

*"... Si ustedes conocen todas las posibilidades de este nuevo servicio financiero (**cómo**), no solo incrementarán los beneficios para nuestra empresa, sino también sus propios ingresos y las ventajas competitivas de nuestros clientes".*

Recurrir a una sentencia legitimada es otra fórmula para incluir el *cómo* en la introducción. Por ejemplo:

*"... Para que nuestra empresa crezca es fundamental reconocer que la modernización tecnológica debe ir acompañada por una política coherente de recursos humanos (***cómo***). Explicaré ahora las ventajas de nuestro nuevo método de trabajo con algunos casos que ustedes conocen".*

Tercer principio: reelaboración del tema

La atención del público que está oyendo un discurso es variable y discontinua. Por eso, dado que la introducción presenta por primera vez los puntos clave para que, después, el desarrollo del discurso sea entendido de manera efectiva, resulta muy útil repetir con pequeñas variaciones el **qué**, el **quién**, el **por qué**, el **cuándo** y el **dónde**.

Esta variación o reelaboración del tema para enunciarlo de otra manera permite que se incorporen al flujo discursivo aquellos oyentes que no estaban prestando la debida atención en su momento, o bien refuerza la comprensión de quienes sí prestaban atención pero tenían algunas dudas.

Siguiendo con el ejemplo del coordinador de ventas esbozado anteriormente, la reelaboración podría quedar así:

"... Quiero enfatizar, por eso, que es el departamento financiero ***(quién)*** *el primer responsable por la convocatoria a nuestra reunión de hoy* ***(qué)****, cuyo objetivo es conocer mejor nuestro nuevo producto XX* ***(por qué)*** *y generar las mejores condiciones para que sea aprovechado por nuestros clientes corporativos* ***(dónde)*** *desde el mes que viene* ***(cuándo)****".*

Después de enunciar el tema o motivo del discurso, se produce en el auditorio un silencio de atención, pero también de tensión frente a lo nuevo.

Es recomendable, entonces, para terminar con esta parte preliminar, que antes de entrar en el desarrollo del tema se incluya alguna anécdota o comentario, a fin de que funcione como transición y relaje al auditorio.

Importante

Soltura y espontaneidad

Soltura y espontaneidad aseguran una buena recepción del mensaje.

El desarrollo

Si los tres principios citados constituyen la "cabeza" del discurso, el desarrollo es el "cuerpo".

Hay cuatro pasos para desarrollar el cuerpo del discurso:

- hacer **una lista de los temas** que se desean exponer;
- **clasificarlos** en un orden lógico, es decir, que un punto lleve a otro de manera fluida y consecuente;
- **escribir** el contenido de cada parte;
- **personalizar** el desarrollo con casos y ejemplos que el auditorio conozca previamente.

Primer paso

La **lista de temas** que se desarrollarán es el primer paso para la preparación del discurso.

En principio, se escriben todos los puntos sin preocuparse por su orden o coherencia. Por ejemplo: *tipos de clientes, composición del servicio, cuenta corriente, línea de crédito, beneficios adicionales, ventajas, aranceles, forma de operar, modificación de cuentas anteriores*, etcétera.

Segundo paso

A continuación, se **clasifica** y **ordena** lo anterior en una nueva lista jerarquizada. Por ejemplo:

1. Composición del servicio

1.1. Cuenta corriente

1.2. Línea de crédito

2. Ventajas

2.1. Forma de operar

2.2. Beneficios adicionales

3. Tipos de clientes

3.1. Aranceles

3.2. Modificación de cuentas anteriores

4. Etcétera

Es decir, se comienza por lo más general. Y a medida que el discurso avanza, se particulariza cada uno de los puntos clave en el orden correspondiente.

Tercer paso

Desarrollar el contenido. Siguiendo la lista jerarquizada, se escribe la información que se desea transmitir.

Luego, se agregan en cada punto algunos ejemplos que permitan aclarar esa información con casos concretos y actualizados.

Cuarto paso

El último paso implica **personalizar el mensaje**. El discurso debe ser un estímulo y despertar el interés con ejemplos cuidadosamente elegidos, teniendo en cuenta el auditorio. Por ejemplo, se muestra la pertinencia del desarrollo resolviendo en público un caso difícil que preocupa a los oyentes. Es decir, no se habla en general sino que se individualiza la cuestión.

El final

Una vez definido el desarrollo o cuerpo de la alocución, se llega al pie, al final de esta.

Un buen final debe incluir:

- **Un resumen** en dos frases del contenido principal.
- **Una propuesta** o resolución que surja del cuerpo del discurso y lo justifique.
- **Un llamamiento a la acción** o bien unas cálidas palabras de agradecimiento.

Consejos

Hay que preparar el final antes de dar el discurso. **Un mal final** invalida todas las palabras previas; por eso, el cierre de todo discurso merece mucha atención y preparación.

Como en el resto del proceso que se ha explicado, la manera de asegurarse de tener un buen final es escribirlo, plasmarlo en un papel.

Ejemplo:

> *"Ustedes son, señoras y señores, los primeros en conocer todos los secretos de nuestro nuevo producto de servicios financieros* ***(resumen)****. Recibirán el material de promoción la próxima semana* ***(resolución)****. En lo demás, ustedes son los expertos, por eso están aquí* ***(llamamiento)****. Les deseo toda clase de éxitos".*

Escribir el final evita dos peligros muy frecuentes a la hora de hablar en público:

- **La ansiedad por concluir la intervención**. Si se termina el discurso en forma abrupta, con un tímido "*Muchas gracias*", o el orador se retira del podio demasiado rápido, el público no tomará conciencia de que terminó y se perderá el efecto positivo. Entonces, hay que sostener el final tranquilamente.

- **Perder la noción del tiempo**. Si sobra tiempo, no es positivo alargar el epílogo indefinidamente. Y si el tiempo es escaso, tampoco conviene apurarse para cumplir lo pautado. Es preferible acortar el desarrollo y mantener el final con todo su esplendor.

Consejos

Evitar las fórmulas: "*Veo que empiezan a cansarse...*", "*Mi tiempo se está acabando...*", "*Continuaremos este tema en otra oportunidad...*", etcétera. Estas frases tan inadecuadas nunca se escribirían al preparar el discurso.

Importante

Sobre la improvisación

La regla para improvisar es la siguiente: aunque no esté escrito, piense como si lo estuviera escribiendo en ese mismo momento. Si no puede hacerlo, es mejor que no lo diga.

Primeras y últimas palabras

La primera y la última frase de cualquier discurso son fundamentales. Tanto es así, que muchos oradores experimentados o con "facilidad de palabra" solamente anotan en un papel las frases de apertura y conclusión, y dejan el resto (el desarrollo) en blanco.

Las primeras palabras deben facilitar la apreciación del discurso. Se puede comenzar con una cita famosa, o bien con las palabras de alguien valorado por los oyentes.

Esto promueve en el auditorio una valoración positiva inmediata, una especie de "crédito transitivo" a la importancia de las palabras del orador antes de que este las pronuncie.

Las palabras finales deben resonar en el público y dejar en él una buena impresión. No hay que tener miedo de ser efectista: lo mejor es buscar una frase fuerte que resuma su propósito.

Importante

La clave de todo discurso es definir primero la estructura y su contenido, y luego, elegir la primera y la última frase en relación con lo anterior.

Sobre la brevedad

Si el propósito de toda alocución pública es cautivar, informar y convencer al auditorio, lo peor que puede hacer un orador es aburrirlo.

Por lo tanto, la extensión desmesurada es la receta más rápida hacia el fracaso.

Nota

Una regla de oro: nadie se queja de que un discurso sea breve.

Sin embargo, el extremo opuesto tampoco es beneficioso: un discurso demasiado corto puede disgustar a un auditorio que se tomó la molestia de concurrir a un lugar y que, seguramente, se generó expectativas.

Consejos

Brevedad y estructura

La extensión de un discurso está contenida en su estructura. Una estructura ordenada garantiza:

- **sintetizar las ideas** en la menor cantidad de palabras y sin rodeos innecesarios;
- incluir en forma efectiva **anécdotas o comentarios que diviertan al auditorio** pero que no perturben su apreciación del argumento que se desarrolla.

CAPÍTULO 2

El arte de la oratoria

Cuentan que el gran orador griego Demóstenes sufría de pronunciación con ceceo. A fin de solucionar este defecto ruinoso para su carrera, practicaba con algunos guijarros debajo de la lengua para corregir la dicción.

Esto evidencia que una pronunciación defectuosa puede molestar, causar risa o distraer del tema de un discurso.

El objetivo de Demóstenes era **adecuar** la forma (la expresión) y el **contenido** (las ideas) de su discurso para que fuera entendido y apreciado por su público.

Forma y contenido van juntos:

- La forma debe responder a los cánones de la belleza y el buen gusto.

- El contenido debe demostrar un conocimiento profundo del tema.

El **orador** es un tipo especial de **actor**. Representa una obra cuyo título es: "Siempre hablo con sinceridad". El protagonista es el personaje que lleva su propio nombre.

Para esta "representación", el orador usa dos lenguajes diferentes:

- **Verbal**: las **palabras**, el **tono** y la **dicción** comunican el contenido del discurso. Su función principal es transmitir los conceptos.

- **No verbal**: los **gestos**, la **postura** y la **apariencia** general brindan la forma adecuada a la expresión y refuerzan las palabras.

Conocer el tema

Aunque la estructura es condición *sine qua non* para un buen discurso, es fundamental conocer a fondo el tema del cual se habla.

A una intervención en público pueden seguir comentarios o preguntas, con mayor o menor nivel de formalidad y de exigencia, según los eventos.

Si el orador no sabe de qué está hablando, el efecto positivo de un buen discurso puede perderse por completo en ese momento posterior.

> *Importante*
>
> Lo mejor es anticiparse a las preguntas del auditorio. Un discurso es sólido en su contenido cuando responde a las preguntas posibles sin necesidad de que sean planteadas por el público.

A eso se llama conocer un tema en profundidad.
El método es el siguiente:

- **Releer el texto** del discurso y formular dos preguntas relevantes sobre cada punto desarrollado.

- **Investigar las respuestas y redactarlas** brevemente.

- **Incluir estas respuestas** en el cuerpo del discurso.

Otros recursos

Preguntas retóricas

Son aquellas preguntas que formula el orador **conociendo de antemano la respuesta y sin esperar que contesten los oyentes**. Las formula como si se adentrara en la mente del auditorio o pensara en voz alta, y a continuación las responde con firmeza.

Las anécdotas

Las anécdotas, ejemplos o comentarios forman parte del contenido del discurso porque son recursos que cumplen una doble función:

- **Clarifican** con efectividad conceptos oscuros o muy complejos. En estos casos, deben estar enmarcadas, mencionando el concepto al inicio y al final.

- Permiten que el auditorio **se relaje** e incluso que sus miembros intercambien sonrisas o comentarios de aprobación, antes de que el discurso continúe.

De esta manera, se crean pausas en las cuales el orador puede medir las reacciones del público.

Ejemplo 1:

> *"Dicen que en esta crisis debemos concentrarnos en acordar con los organismos de crédito. Me recuerda el caso del viejo Matías, hombre siempre alegre pero que estaba agonizando y recibió al sacerdote para administrarle los últimos sacramentos: 'Hijo mío –le dijo–, ¿renuncias a Satanás ahora y para siempre?'. El infortunado miró con ojos suplicantes y contestó: 'La verdad, padre, no creo que sea el momento para buscarse enemigos en ninguna parte'. Pero ¿quién es hoy día el sacerdote y quién Satanás? ¿No serán excesivas las exigencias de los sacerdotes financieros?".*

Ejemplo 2:

"Debemos tener mucho cuidado con las reformas que emprendamos. No debemos olvidar que, hoy en día, la mayoría de los reformismos, con la excusa de dar un paso al frente, se parecen más a contrarreformas. Esto me recuerda una vieja anécdota sobre las dictaduras militares. En los años 70, los militares tomaban el poder siempre con la justificación de que nos encontrábamos 'al borde de un abismo', y ellos, claro, se enorgullecían de 'dar un paso al frente'. Por eso, mi cautela ante las propuestas ingenuas de cambios educativos, que tienen toda la apariencia de destruir definitivamente las pocas cosas buenas que se salvaron de esa caída".

Las pausas

En música y en oratoria, el silencio puede ser tan importante como el sonido.

La administración de las pausas del discurso es un signo de destreza del orador, mediante el cual puede enfatizar un concepto, sortear airosamente un abucheo o bien recibir gallardamente el aplauso.

Consejos

Cada ocasión de hacer una pausa debe valorarse de acuerdo con el momento particular. Por lo general, es la atención del público la que determina ese momento. Así, cuanto mayor sea la concentración del auditorio en lo que se está diciendo, mayor será también el efecto dramático de la pausa.

Comúnmente, la pausa se utiliza en los siguientes casos:

- **al comienzo del discurso**, para asegurar el silencio y que el auditorio esté listo para escuchar;

- **en el medio o al final de una frase**, para enfatizar un punto importante;

- **después de una interrupción**, para recuperar el silencio del auditorio o para individualizar la respuesta para un oyente específico;

- **antes de decir las últimas palabras**, para reforzar el efecto final, indicar al público que está concluyendo la alocución y esperar el aplauso.

Importante

Un ejemplo histórico

"... Por este camino llegó a toda la India, no solo a los palacios, los centros intelectuales o las asambleas, sino a la más miserable aldea –pausa–, *a las cabañas donde habitan los que sufren* –pausa–. *Vive en los corazones de millones de seres* –pausa (apenas mayor)– *y vivirá por el resto de los tiempos."*

(Jawaharlal Nehru,
tres días después del asesinato de Gandhi)

La dicción y la voz

Una voz inaudible o incomprensible es mucho más que desperdiciar palabras: es perder la oportunidad de aportar ideas al evento del cual se participa.

- Una **voz débil** transmite inseguridad y vacilación.
- Una **dicción demasiado precisa** suena afectada.
- En cambio, un **sonido profundo y resonante** multiplica el efecto de una idea.
- De la misma manera, una **dicción clara y natural** transmite seguridad y confianza.

Importante

De eso se desprende que la voz y cada uno de sus recursos son fundamentales para todo orador.

Para lograr que la dicción y la voz mantengan la atención del auditorio hay que tomar en cuenta:

- **No gritar**; para aumentar el volumen están los micrófonos.

- **Utilizar el pecho como caja de resonancia**: esto brinda sonoridad y consistencia a la voz.

- **Respirar pausadamente**: este hábito regula el tiempo de cada palabra y combate los nervios.

- **Variar el tono, el volumen y la velocidad** del discurso de acuerdo con lo que se dice. Esto impide la monotonía.

- **Evitar que el volumen de la voz caiga** al final de las frases.

La postura

Una voz sonora y firme es un producto corporal.

La sensación de seguridad que transmite depende tanto de la audición de las palabras como del efecto visual que genera la postura del orador.

Consejos

- **Si está de pie**, adelante una pierna, eleve el pecho y mantenga una posición firme y erguida, pero no tensa.
- **Si está sentado**, evite hundirse en la silla. Lo recomendable es mantener la espalda derecha, apoyada suavemente en el respaldo y el cuerpo levemente separado de la mesa (si la hay).

Estas posturas permiten que la voz fluya con todo su caudal.

¡Recuerde! Lo importante son las palabras; los movimientos distraen al auditorio:

- Un orador que se mueve o camina todo el tiempo descuida la acústica de su voz, genera en sus oyentes efectos diversos y no puede aprovechar su persuasión sobre el auditorio.

- Un orador debe utilizar su lengua, su rostro y su mente, no sus pies o sus brazos, ¡ni mucho menos las manos!

Los gestos

Hablar en público es una actividad más cercana al arte que a la ciencia y también se aprende por imitación.

Observando a oradores experimentados se comprende que a cada palabra corresponden un tono y un gesto exactos.

La gesticulación excesiva distrae y genera dudas. La confianza proviene del control que puede establecer el orador sobre su propio cuerpo.

Entonces, hay que concentrar el lenguaje no verbal en el rostro. Un entrenamiento óptimo de los gestos de la cara es útil tanto para los discursos públicos como para los íntimos.

Consejos

- **Apartar los anteojos** de la cara **y mirar** directamente al público puede ser un efecto teatral de enorme significado; es importante que luego se los vuelva a colocar para remarcar el gesto previo.
- De la misma manera, la utilización de la lapicera debe estar relacionada con los apuntes: **el gesto de tildar** funciona a modo de conclusión provisoria antes de continuar.

Nota

La risa y la sonrisa

Reír es expresarse con sonoras carcajadas. Sonreír, en cambio, es expresar alegría solo con el rostro.

El orador sonríe para propiciar la risa de su auditorio. Pero si el auditorio ríe espontáneamente, algo anda mal: se está riendo del orador, no con el orador.

Recomendaciones:

- La sonrisa o la seriedad deben utilizarse de acuerdo con el tipo de evento y el mensaje que se quiere transmitir.

- Hay que reflejar el estado de ánimo del discurso, no el propio ni el del auditorio.

Ejemplo:

Un funeral puede ser el momento justo para sonreír, si se recuerda en el discurso un momento feliz del fallecido.
De la misma manera, mostrar excesiva seriedad en una conferencia sobre temas generales puede resultar antipático para el auditorio.

Importante

Lo más efectivo para hacer reír es generar la expresión: "a punto de reírse". Para mantener el control de su discurso **el orador debe evitar reír**.

Expresiones corporales negativas y sus posibles soluciones:

Gesto	Significado	Solución
Bajar la mirada y mover los ojos.	Nerviosismo	Mirar hacia un rostro amistoso y hablar sólo como para esa persona.
Morderse los labios.		Beber agua. Efectuar pausas más largas concentrando la atención en el discurso.
Tocarse la cara o la boca. Mover las manos en exceso.		Poner las manos en el atril o al borde de la mesa.
Movimientos corporales excesivos.	Ansiedad	Sentarse en un taburete alto o apoyarse en la mesa.
Meter las manos en los bolsillos y hacer sonar las monedas.		Sostener los apuntes con firmeza. Tomar los anteojos o la lapicera con ambas manos.
Sacudir las piernas rítmicamente.		Cruzar las piernas. (En casos extremos, puede trabarse el pie con la pata de la mesa.)
Tomar el micrófono con una o ambas manos.	Inseguridad	Trabar los antebrazos contra el borde de la mesa y cruzar los dedos. Si se está de pie, cruzar los dedos con los brazos extendidos.

La apariencia

Un fragmento del libro *El principito,* de Antoine de Saint-Exupéry, cuenta la historia de un astrónomo turco que descubre un asteroide.

Cuando explica su descubrimiento vestido con su ropa habitual, nadie lo considera. Dos años después dice lo mismo vestido con saco y corbata, y es tomado en cuenta.

De este cuento se pueden sacar dos conclusiones:

- Lo esencial es invisible a los ojos. Sin duda, pero uno siempre confía en sus ojos... ¿Entonces?

- Adecuar el aspecto personal a las circunstancias. La corbata puede ser tan perjudicial para la comunicación visual como un jean. En todos los casos, dependerá del evento.

En términos generales, la vestimenta adecuada del orador es la misma que para su auditorio. Son los pequeños signos los que transmitirán la personalidad. Por ejemplo, el peinado, el color de una corbata o del maquillaje, el tipo de accesorios utilizados, etcétera.

Consejos

La coherencia. Cuando se habla en público, es importante que el mensaje verbal y visual sea coherente.

Control del tiempo

El tiempo es relativo.

Lo que para el orador puede parecer breves minutos, para el público puede significar horas. Es decir, hay una brecha entre la realidad y la percepción de ella.

De modo que, cuando se habla en público, es conveniente considerar cuál es la situación y tratar de acortar esa brecha temporal al mínimo.

Es imprescindible calcular la extensión del discurso con antelación.

Importante

Con menos público

Si los asistentes son pocos, conviene acortar el discurso y aprovechar el tiempo para personalizar la charla con preguntas o para establecer relaciones.

Si hay que dar una conferencia de media hora, se programa material para un máximo de 20 minutos. Si la charla es de 45 minutos, el material no debe sobrepasar la media hora.

En caso de terminar antes de lo previsto, el tiempo restante se puede usar para preguntas.

Los discursos de más de 45 minutos deben segmentarse y complementarse con algún tipo de presentación que, en lo posible, sea interactiva (diapositivas, videos, audio, etc.)*.

Si son muy largos, el **intervalo** es imprescindible.

Para no perder la noción del tiempo, el orador puede:

- Solicitar al moderador que le avise cinco minutos antes del plazo.

- Colocar su reloj en un lugar visible a simple vista y dividir su discurso en períodos.

Importante

En síntesis: la oratoria es un arte y, como tal, no debe estar sujeta a improvisaciones, salvo que esa sea precisamente la regla tácita del evento. Ensaye su discurso, practique sus posturas, calcule los mínimos gestos... Es **su** espectáculo. **¡Lúzcase!**

*Véase además, *Cómo realizar presentaciones exitosas*, de esta misma colección.

CAPÍTULO 3

Sobre la audiencia

Cuando alguien habla de un asunto privado, se esfuerza por adecuar sus palabras al carácter, la personalidad, los intereses y la sensibilidad de quien las escucha.

Si quiere cautivar a la audiencia y que su mensaje sea bien recibido, el orador debe aplicar este mismo **sentido común** cuando se dirige a su público.

Consejos

Conocer y comprender al auditorio

El orador debe observar atentamente al auditorio en los primeros momentos del discurso. Luego, estar atento a sus reacciones. Un buen orador desarrolla su alocución con sus oyentes, no a pesar de ellos.

Durante la preparación del discurso, se deben tomar en cuenta las siguientes preguntas:

- *¿Se trata de un público habituado a los discursos?*
- *¿Cuál es el número aproximado de oyentes?*
- *¿Conocen el tema del cual se les va a hablar?*
- *¿Están predispuestos a favor o en contra?*
- *¿Es un auditorio homogéneo o heterogéneo a nivel profesional?*

Sugerencias prácticas para preparar un discurso

Si el público no está habituado a los discursos...	• Ser breve. • Utilizar anécdotas.
Si es gente sencilla o de extracción popular...	• No citar autores. • Evitar los idiomas extranjeros.
Si es gente culta o muy especializada en un tema...	• Verificar todas las citas. • Pronunciar correctamente.
Con muchos oyentes...	• Desarrollo sintético.
Con pocos oyentes...	• Intentar acercarse a cada uno.
Si desconocen el tema...	• Reponer conceptos con fórmulas tales como "Ustedes saben que...".
Si conocen el tema...	• Evitar la obviedad.
Si están a favor...	• Reforzar los valores del auditorio y propiciar la participación.
Si están en contra...	• Conceder la razón al auditorio en algunos temas. • Proponer una sola novedad bien fundamentada.
Según la composición de nivel profesional...	• Respetar las jerarquías con fórmulas de cortesía.
Según la uniformidad...	• Buscar los puntos de coincidencia.

El contexto

Cada contexto es diferente porque las personas que escuchan también lo son.

Para comprender a cada auditorio en particular es importante:

- Verificar en los primeros momentos del discurso si los datos previos eran correctos o no.

- Comprobar la efectividad del discurso observando las reacciones de dos o tres personas elegidas desde el comienzo.

Un orador experimentado sabe **leer** en un determinado oyente el estado de atención del resto de su auditorio. Por eso, nunca se dirige a la masa de personas, sino que fija su mirada en algunos individuos, en diferentes momentos de la intervención. Son los **destinatarios circunstanciales**.

Estos destinatarios se eligen:

- **Por afinidad o gusto personal** (alguien que a primera vista resulta parecido o agradable al orador).

- **Por mirar con amabilidad o atención** (siempre hay personas dispuestas a escuchar con buena predisposición, incluso en los auditorios más hostiles).

Nota

Sostener la mirada

Un orador que mira de manera indeterminada por encima del público es tan ineficaz como el que agacha la cabeza y murmura su soliloquio.

Los buenos oradores sostienen la mirada de sus destinatarios circunstanciales.

Si se observan las reacciones de los destinatarios circunstanciales, se podrá mantener la atención del público hasta el final. Estas personas, casuales receptores privilegiados de las miradas y la observación mientras se habla, funcionan como un control de calidad del orador.

Por eso, si ellos están inquietos, no deben reemplazarse por otras personas con la excusa fácil de que no entienden o no les gusta lo que se está diciendo. Antes bien, es necesario esmerarse en convencerlos: solo así se tendrá una clara conciencia del estado del resto del auditorio.

Signos de atención del público

- Tomar apuntes.
- Permanecer erguidos.
- Estar en silencio.
- Sostener la mirada.
- Hacer preguntas.

Signos de inquietud o cansancio

- Cruzar las piernas frecuentemente.
- Recostarse en el asiento.
- Bostezar.
- Comentar o murmurar con otro oyente.
- Guardar las cosas.
- Consultar el programa o mirar el reloj.

La persuasión

Persuadir significa convencer a las personas mediante argumentos.

La persuasión se utiliza con éxito cuando el auditorio está en contra o cuando está compuesto por profesionales del mismo nivel, y se puede superar la situación.

Es necesario:

- **ser moderado** y estar calmo,
- **conceder la razón** en algunos temas con ecuanimidad,
- **desarrollar una explicación** sólida.

La persuasión es eficaz cuando están en juego los temas relacionados con:

- el dinero,
- el tiempo,

- el trabajo,
- la ciencia.

La seducción

Seducir es convencer al auditorio con sensaciones.

Pero no significa apelar al sentimentalismo, sino a la identificación con el orador o al deseo de entablar una relación con él, a lograr una empatía.

> *Importante*
>
> **El objetivo**
>
> La fuerza de la seducción radica en que las características positivas del orador se extiendan a sus ideas o conceptos.

Recursos de seducción

- **Apasionamiento** por el tema tratado (sin parecer necio).

- Sonreír y **ser agradable** en el trato personal.

- Desarrollar una **explicación amena**.

- Considerar con **máximo interés** las preguntas o intervenciones de los oyentes, incluso cuando resulten tremendas idioteces.

- Transmitir valores humanos positivos (generosidad, aplicación, honestidad, deseo, felicidad).

La **seducción es eficaz** cuando están en juego los temas relacionados con:

- el arte,
- la familia y los amigos,
- la política,
- los estudios.

Sensibilidad y tacto

Tanto la persuasión como la seducción fracasarán si no se las aplica con sensibilidad y tacto hacia el auditorio.

Se trata, en todos los casos, de mantener la elegancia y la corrección, sin abandonar por ello las ideas expuestas.

- No hacer **ostentación** de superioridad en ningún sentido. El orador debe ser un "servidor" del público.

- Si el tema del discurso se ha desviado por intervenciones de terceros, hay que procurar **reorientarlo** lentamente.

- Evitar las jergas y la terminología compleja, salvo en el caso de un auditorio profesional.

- **Distinguir a las personas** que preguntan: anotar sus nombres y dirigirse a ellas de manera personalizada.

- **Utilizar el humor** en forma positiva, nunca para humillar a alguien.

- Si alguien hace una **pregunta obvia** o banal, se debe extremar el tacto mediante alguna fórmula de este tipo: "*Se trata de un concepto complicado que siento no haber explicado bien. Permítame referirlo nuevamente...*".

- Si se ha cometido un error u ofendido a alguien involuntariamente, la **disculpa pública** repara el daño y restaura la confianza del auditorio.

El humor y los lugares comunes

El éxito de un discurso no depende tanto de qué se dice, sino de cómo se dice.

El cómo de un discurso son los **recursos retóricos** que se utilizan (repeticiones, concesiones, comparaciones, etc.). En los capítulos 4 y 5 se ejemplificarán con diferentes tipos de discursos.

Sin embargo, el humor y los lugares comunes merecen una mención aparte porque su utilización depende en gran medida de la sensibilidad y el tacto.

Bien utilizados, ambos recursos aseguran el éxito. De la misma manera, el fracaso es seguro cuando se los aplica en forma incorrecta.

- El **humor** debe ser siempre más ingenioso que gracioso. La intervención humorística debe ser sutil, relatando el episodio de manera que realce el ingenio del orador.

- Los **lugares comunes** o frases hechas, en cambio, son lo contrario del humor y logran que quien las utilice saque licencia permanente de prescindible. Deben evitarse siempre, salvo que se usen con públicos muy sencillos o iletrados.

Las interrupciones

En todo discurso, hay tres tipos de interrupciones:

- **las buenas**,
- **las imponderables**,
- **las malas.**

Las **buenas**, generalmente, son preguntas o comentarios que denotan el interés del auditorio y conviene prestarles la debida atención.

Si son muy frecuentes, tal vez sea conveniente pasar más rápido a las preguntas.

Las interrupciones **imponderables** responden a problemas técnicos (se corta el sonido, una ventana se abre de golpe, etc.). En esos casos, el orador debe esperar en silencio que las condiciones de audición queden restauradas.

Después, retomar el discurso con un breve comentario del tipo: "*Felizmente, los organizadores han logrado solucionar el problema... Les decía que...*".

Las interrupciones malignas, en cambio, son el peor obstáculo de un orador. Pueden distinguirse dos clases:

- **Individuales**: un oyente se dirige al orador en forma evidentemente agresiva o descalificativa. Para solucionarlo, es conveniente **aislar al sujeto**.

  "Disculpe mi ignorancia, sería tan amable de decirme su nombre... Bien, señor X, intentaré responder a su pregunta con diligencia, pero le ruego por respeto al auditorio que me permita concluir esta alocución..."

- **Colectivas**: murmullos *in crescendo*, gritos, abucheos. La solución es **prevenir y observar** al auditorio para evitar llegar a ese punto: si esto ocurre, las probabilidades de éxito no son buenas. De todas maneras, existen algunos trucos y caminos para sortear esos trances, que son los siguientes:

  a. Si los **rebeldes son pocos**, permanecer unos minutos en silencio y con actitud de autoridad.

Luego decir, por ejemplo:

"Hay oyentes que se perjudican con este tipo de actitudes. Estoy dispuesto a conversar y escuchar todas las quejas de quienes están en desacuerdo al término de esta charla. Ahora, pido disculpas al resto del auditorio por esta interrupción...".

b. Si los **rebeldes son muchos**, dirigirse al público buscando interesarlo en las próximas palabras.

"*Soy consciente de su malestar y comprendo sus problemas... Pero es necesario que hablemos ordenadamente para solucionarlos. Si escuchan lo que tengo para decirles, de seguro todos saldremos beneficiados...*"

Nota

El auditorio, siempre primero

La mejor estrategia para evitar o conjurar las interrupciones es que el orador se coloque por debajo del bien común del auditorio. Es decir: lo importante no debe ser que él pueda hablar, sino que los interesados lo puedan escuchar.

Los ataques

Un orador experimentado nunca pierde la cortesía. Si desea ofender a alguien, lo hace con plena conciencia y elegancia.

No obstante, los ataques personales constituyen una práctica desaconsejada, salvo en el ámbito político, donde la confrontación es la regla.

Por alguna misteriosa razón, todo el auditorio se sentirá aludido si el orador critica o habla en contra de alguien, esté o no presente. Por eso es importante tener sumo cuidado cuando se confrontan las ideas de otra persona. Para los oyentes, el límite entre la crítica y el ataque es casi indiscernible. La prudencia es la regla.

Nota

Con pruebas concretas

Si es necesario criticar a alguien, hay que presentar una recopilación de documentos convincente: cartas, citas o hechos irrefutables. El orador debe demostrar que la verdad está de su lado.

Cuanto mayor sea su enojo, mayores deben ser su calma, su seriedad y su racionalidad.

Las defensas

La otra cara de la moneda es que el ataque sea para el orador.

Tres estrategias de defensa

1. **Poner la otra mejilla**: pasar por alto la ofensa y buscar el bien común.
   "Podemos responder a todas las preguntas olvidando el modo ofensivo y personalizado con que se han efectuado", *o bien: "Todos estamos empeñados en un esfuerzo común, el tono de los comentarios que acabamos de escuchar solo contribuye al fracaso de nuestros objetivos."*

2. **Responder rápida e ingeniosamente**: la réplica no debe rebajarse a la altura de la ofensa porque perjudica más a quien habla que al aludido.
   "Todos apreciamos la franqueza, habitual en él, con la que el señor X emite sus juicios tajantes... pero aquí se trata de..."

3. **Desviar la atención a un tercero**: todo orador atacado debe establecer prontas alianzas.
   "Muy bien, si usted no quiere, no me preste atención a mí... sino lo que propone el señor X, que seguramente dirá algo de interés..."
   Si la ofensa se extiende a X, quedará descalificada al instante.

Organización previa

El orador puede prever las reacciones de su auditorio.

En los discursos "difíciles", en los que se exponen ideas que dividen las opiniones, muchos oradores experimentados recurren a la claque.

Nota

La *claque* (un recurso utilizado a veces en el espectáculo teatral) consiste en organizar los aplausos con algunas personas del público designadas previamente, las cuales comenzarán a aplaudir al recibir una señal del orador o bien del organizador.

Los auditorios, al igual que las multitudes, se comportan por imitación. Una o dos personas son suficientes para arrancar el aplauso del público en el momento convenido.

Si el público es **desconocido**, o no se ha podido "suavizar" a la audiencia, el orador tendrá que arrancar su discurso "en frío".

Pero puede organizar una pequeña ayuda de sus amigos si les dice: "*Voy a contar la anécdota de XX... así que aprovechen para reírse fuerte*".

Así, hablando a sus amigos con la misma sensibilidad y tacto que se usarán para el resto de los oyentes, el orador disminuye su margen de fracaso.

CAPÍTULO 4

Discursos íntimos

Según el tipo de evento social, los discursos pueden clasificarse en dos clases:

a. **íntimos** (fiestas, cumpleaños, comidas);
b. **públicos** (encuentros políticos, conferencias, colectas).

Los **discursos íntimos** no son necesariamente los que se realizan en el ámbito familiar. Más bien se designan con ese término porque presentan las siguientes características:

- **Auditorio heterogéneo** de número reducido, que en general está convocado por un motivo que excede al orador (aniversario, fiesta, banquete, etcétera).

- **Expectativa** de que el orador establezca mediante su discurso una relación de sensibilidad y afecto con la audiencia (como en los agradecimientos o entregas de premios).

- El discurso es **circunstancial**, es decir: el orador es uno más del público que en determinado momento se distingue por tomar la palabra, pero luego vuelve a perderse entre la gente (homenajes, bienvenidas, etcétera).

Discursos de sobremesa

Uno de los mejores públicos para un orador es el que se dispone a escucharlo atentamente después de haber disfrutado de abundante comida y bebida. Tras una sonrisa, la condescendencia y la brevedad son suficientes.

> *Nota*
>
> El momento más adecuado para hablar durante un banquete es luego del primer plato. La comida ha relajado los cuerpos y la bebida ha hecho lo propio con los ánimos, pero la atención aún se mantiene. Una alternativa es hacer el discurso durante el postre: se puede interrumpir a los comensales para ofrecer un delicioso café y aprovechar la situación para captar su atención sobre el orador.

Las etapas de los discursos de sobremesa son:

- Lograr **silencio**.
- **Iniciar el discurso** con un chiste o una observación ingeniosa.
- Dar el **mensaje principal**.

Dos maneras de lograr silencio:

- Que el presidente o moderador de la **mesa pida silencio** para que el orador pueda hablar.

- En el momento indicado, dar unos **golpecitos en una copa** con la cuchara, para que el sonido convoque la atención.

Los mejores chistes suelen ser improvisados. Aunque no sean interesantes o muy divertidos, se logra el contacto con el público si se habla con convicción y seguridad.

Los discursos de sobremesa pueden comenzar con una broma amistosa sobre el presidente, el restaurante o la comida, o una referencia indirecta a un titular de periódico.

Ejemplos:

> *"Hace unos momentos, el presidente se volvió hacia mí y me dijo: '¿Quiere hablar ahora o los dejamos que se diviertan un poco más?'"*

> *"Agradezco la hospitalidad que nos han brindado a mi esposa y a mí... como dice el refrán, detrás de todo gran hombre siempre hay una asombrada mujer".*

A continuación, se desarrolla un breve discurso. Los signos de que es necesario acortar la intervención son:

- Que los comensales saquen los cigarrillos del bolsillo.
- Que comiencen a juguetear con los cubiertos.
- En el caso de un brindis, cuanto más bajo sea el turno en la lista de oradores, mayor deberá ser la brevedad.

> *Nota*
>
> Los brindis son el final clásico de los discursos de sobremesa.

La fórmula es sencilla: "*Los invito a que se levanten y brinden conmigo por...*".

Conviene efectuarle pequeñas variaciones acordes con la ocasión.

Fiestas

Los discursos para fiestas son una versión modificada de los discursos de sobremesa.

El mismo clima de alegría y la buena predisposición del auditorio, con más personas y más comida.

El orador debe conocer previamente en qué momento debe hablar y cuál es la señal que confirmará su entrada en juego. En general, esta señal está dada por el inicio de algún tema musical determinado con anterioridad, o bien por la intervención de un coordinador.

Es muy probable que el orador no domine al conjunto de su auditorio. En estos casos no es conveniente iniciar el discurso recurriendo al humor, porque el efecto será absurdo para la mayoría de los asistentes.

Felicidades

Por lo general, los discursos para fiestas comienzan con una felicitación referida directamente al motivo del evento: nacimiento, bautismo, noviazgo, cumpleaños, boda, primera comunión, etcétera.

La fórmula típica para un casamiento, por ejemplo, es la siguiente: "*Quiero felicitar a mi amigo y a su flamante esposa X por su unión duradera y este grato momento que nos permiten compartir*".

Homenajes

Los homenajes, en cambio, son eventos en los cuales se recuerdan los éxitos de una determinada persona, o tal vez a esa persona misma. La particularidad de los discursos de homenaje, entonces, es que se concentran en alabar a un individuo.

Como regla principal, los homenajes deben resultar:

- **sinceros** (el orador cree en lo que dice);

- **merecidos** (el orador muestra el acuerdo del público para este evento);
- **verdaderos** (el orador se esfuerza para que su alabanza sea compartida por el público).

Consejos

Todo en serio

Salvo que haya mucha confianza entre los asistentes, las bromas están enteramente desaconsejadas en los homenajes. Podrían parecer una parodia de homenaje en lugar de un tributo sincero.

El orador debe generar con su discurso un lazo afectivo que lo ligue al homenajeado y al público.

Por ejemplo: "*Recuerdo cuando era estudiante y el profesor Tal entró al aula y dijo sus primeras palabras... Muchos de los que estamos presentes sentimos lo mismo que ahora: respeto y admiración por su sabiduría*".

Desgraciadamente, a veces, también es necesario hablar en público en ocasiones tristes. Los funerales son homenajes a una persona muerta. En estos casos, se debe tener en cuenta:

- **Nunca hablar mal del fallecido** (aunque haya sido el peor enemigo del orador).

- **Evocar un momento feliz** del fallecido, tal vez dirigiéndose a alguno de los deudos ("*... de seguro recuerdas bien esa sonrisa, Alejandra...*").

- También se puede **referir un acto de generosidad** póstuma (donación de órganos o de bienes para alguna institución de bien público).

- **Animar y consolar** a los allegados dándoles certeza del afecto que les dispensan todos los presentes. Por ejemplo: "*Fulano de Tal (el finado) sería feliz al saber que las lágrimas de su esposa y sus hijos fertilizarán los corazones de sus amigos. Los aquí presentes los acompañamos en el sentimiento por esta irreparable pérdida*".

- **Ser breve** siempre es importante. Si faltan las palabras, se puede pedir al auditorio un momento de silencio en memoria del fallecido. El silencio, a diferencia de las palabras, dignifica con pompa y circunstancia hasta las situaciones más incómodas.

Bienvenidas

Las bienvenidas son otra forma de homenaje, pero tienen como objetivo dar cuenta de una situación de presencia, de incorporación o de llegada del homenajeado.

Las etapas de este tipo de discursos son:

- **Inicio**: convocar la atención de los presentes y dirigir las miradas hacia la persona a la cual se dará la bienvenida, con alguna justificación de su importancia.
  Por ejemplo: "*Señoras y señores, solicito su amable atención... Aquí, a mi lado, está Fulano de Tal, recientemente nombrado profesor emérito de nuestra universidad...*".

- El **desarrollo** del discurso continúa con las palabras de bienvenida propiamente dichas ("*...propongo que le demos la bienvenida con un fuerte aplauso...*").

- Luego, se puede referir sintéticamente la **trayectoria de la persona** o bien realizar una alabanza breve.

- Para **finalizar** hay que remarcar dos puntos fundamentales:
  - Las actividades que desarrollará el invitado.
  - El deseo de una estadía feliz y productiva.

Agradecimientos

El discurso de agradecimiento debe ser breve y significativo. Su objetivo no es transmitir información (como ocurre con el resto de los discursos), sino dar una muestra de cortesía sobre algo que el auditorio ya conoce (porque ha sido explicado por el primer orador).

Consejos

Todo agradecimiento comienza con la misma fórmula:
"*Agradezco...*", o "*Quiero agradecer...*", o "*Estoy agradecido...*".

El desarrollo debe incluir:

- Un **agradecimiento diferenciado** para quien efectuó el discurso de bienvenida o de homenaje.

- Un **agradecimiento institucional**, que puede estar dirigido al público o al responsable del evento.

El agradecimiento, después de una conferencia, debe respetar dos reglas:

- **Brevedad**: el público ya escuchó a quien le interesaba oír. La alocución del moderador simplemente representa la voz del auditorio que agradece.

- **Cordialidad**: las palabras cálidas y emocionales expresan el deseo de continuar la comunicación en otros ámbitos (por ejemplo, una fiesta de despedida) o repetir el evento en una próxima ocasión (otra conferencia o intervención, etc.).

Nota

La pausa justa

El moderador que agradece debe efectuar **una pausa** al cabo de la primera oración. Ese silencio convoca los aplausos.

Concesión de premios

Las ceremonias de entrega de premios se pueden apreciar desde dos puntos de vista:

- quien concede el premio,
- quien recibe el premio.

Un premio es en sí mismo una alabanza a quien lo recibe, de modo que el discurso que acompañe esta entrega no debe ser redundante.

Unas pocas y sencillas palabras son el mejor acompañamiento para una premiación sincera.

Consejos

Sincero, pero no tanto

¿Cómo se puede parecer sincero, incluso aunque no sea así? Evitando las exageraciones y los sentimentalismos (palabras melodramáticas, suspiros, lágrimas y gestos teatrales).

Salvo en los casos de los concursos de belleza o de espectáculos, donde no se sabe hasta último momento quién es el acreedor del premio, en la mayoría de los casos todo asistente a un evento sabe con certeza por qué y por quién está allí.

Hay eventos de premiación cuya finalidad es publicitar la organización que entrega el premio antes que al individuo premiado.

En estos casos, el público está compuesto principalmente por representantes de la prensa o de firmas comerciales y clientes.

Entonces, el discurso de premiación varía sus objetivos:

- Debe **explicitar claramente el motivo del premio** y los méritos del premiado (que muchas veces es desconocido por el auditorio).

- Y **resumir sintéticamente la trayectoria de la organización** que otorga el premio a la manera de un discurso publicitario, pero con moderación.

Ejemplo:

> *"Estamos orgullosos de nuestros maestros en el fascinante mundo de la psicofarmacología. Por eso nuestro laboratorio ha decidido otorgar este premio al doctor RFL por su tarea esclarecedora en la psiquiatría. Nuestro laboratorio, pionero en mejorar la calidad de vida de las personas con trastornos mentales, quiere expresar su gratitud al doctor RFL entregándole este premio científico, como muestra de respeto y reconocimiento...".*

Recepción de premios

Al igual que en el caso anterior, el premio habla por sí; lo adecuado, entonces, es un gesto de modestia que modere las cualidades de la persona que agradece la distinción.

En el resto de sus características, estos discursos son similares a los agradecimientos clásicos:

> *"La diferencia entre un discurso laudatorio como este, dedicado a una persona viva, y una oración fúnebre en homenaje a un difunto, es que en el primer caso hay al menos una persona dispuesta a creer que todo lo que se ha dicho es verdad".*

"Quisiera dar crédito a las cosas que se han dicho sobre mí. Quizás hayan podido convencer a mi mujer de la veracidad de sus elogios, aunque yo mismo no esté muy convencido".

Importante

Moderación y decoro son la regla al recibir premios. Sería descortés y poco sincero agradecer un premio diciendo: "*Aunque son ciertas, usted no debería haber dicho todas esas cosas excelentes sobre mí*". En cambio, se puede ser inmodesto con respecto a la propia esposa: "*Es cierto todo lo que ha dicho sobre mi esposa... ¡es una joya! De más está decir que no la merezco...*".

Inauguraciones

Los **discursos para inauguraciones** de muestras plásticas, sedes institucionales o espacios públicos son invitaciones para realizar un paseo, mirar y disfrutar.

Pueden dividirse en dos tipos:

- Uno **meramente formal**, de salutación al evento. En general es el adecuado cuando el orador es ajeno a la organización.

- Otro más sustancioso, que **transmite información y pautas** sobre la inauguración.

A una persona invitada a este tipo de eventos se le pide, por su prestigio, que diga unas palabras. En este caso, se trata del primer tipo de discurso.

Por ejemplo:

> *"Agradezco profundamente que el señor Tal me brinde la posibilidad de expresar públicamente mi alegría por esta obra... Saludo a quienes han contribuido con su esfuerzo, con la seguridad de que juntos podremos disfrutar las instalaciones. Les deseo a todos muchos éxitos en esta nueva etapa. Gracias por su atención".*

En el segundo caso, en el que el orador es responsable del evento, las etapas del discurso son las siguientes:

- **Bienvenida** al público y agradecimiento por la presencia.

- **Explicitar el tipo de evento y su importancia**. ("*Con estas sencillas palabras queremos inaugurar esta muestra de KM, con pinturas de su más sensible período artístico...*")

- **Invitación** a que el público recorra y disfrute, con especial mención de que puede expresar su opinión de alguna manera. ("*... Después de que hayan recorrido las instalaciones, los invitamos a un lunch, donde además podrán expresar sus impresiones en nuestros libros de visita.*")

Importante

La palabra de los artistas

Las exposiciones de pintura son un caso especial entre los discursos para inauguraciones. En caso de que se quiera convocar al artista para decir unas palabras, debe hacerse al final del evento, luego de que el público ha visto la obra.

CAPÍTULO 5

Discursos públicos

Como explicamos en el capítulo anterior, según el tipo de evento social, los discursos pueden clasificarse en dos clases:

- íntimos;
- públicos.

Los **discursos públicos** son más extensos que los íntimos y exigen al orador capacidades diferentes.

Se clasifican con ese término porque presentan las siguientes características:

- **Auditorio homogéneo** de un gran número de personas, convocadas por el orador (conferencias, seminarios, etc.).

- **Expectativa** de que el orador instale ideas y conceptos que demuestren su conocimiento.

- Un **discurso instrumental**, es decir: el orador está diferenciado del público y es una herramienta para actuar sobre él.

Su alocución tiene una **finalidad apelativa**: trata de lograr con las palabras que sus oyentes realicen algún tipo de acción (como donaciones o invitaciones), o bien que queden convencidos de una idea o proyecto.

Conferencias y seminarios

Una conferencia exitosa es responsabilidad tanto del orador como de los organizadores. En primer lugar, hay que ser precavido y llegar al local de la conferencia con suficiente antelación para verificar:

- el **sonido** (micrófonos, acústica, música),
- el **funcionamiento de los aparatos** que se utilizarán para la exposición (proyectores de diapositivas, cañón de video, pizarrones, etc.).

También es muy importante hacerse un tiempo para acordar con el técnico de sonido el plan de la conferencia.

Consejos

Indicaciones para el técnico de sonido
Un técnico inexperto o malicioso puede llevar a un fracaso rotundo. Por lo tanto, los oradores deben ir bien preparados.

Generalmente, los oradores experimentados llevan una copia especial de su discurso para el técnico de sonido, en la que se indica:

- cuándo se usarán los recursos de audio y video;
- qué materiales en casetes o fotografías (etiquetados y ordenados cronológicamente) se mostrarán en cada caso;
- la duración aproximada de la alocución.

Evaluar la sala o el espacio donde va a ofrecer su conferencia es otra de las tareas que debe realizar el orador antes de que llegue su público:

- Si la sala es demasiado grande, es preciso asegurarse de que podrá llenarse al menos hasta la mitad.

- En caso contrario, es conveniente combinar con los organizadores que los asistentes vayan ubicándose en las primeras filas a medida que entren.

Además, es preciso revisar el espacio físico reservado para el orador y en qué condiciones se encuentra (estrado, escritorio, silla, etc.).

Es responsabilidad del orador hacer los ajustes necesarios para estar cómodo durante su intervención.

Para considerar

- ¿Se dispone de un lugar tranquilo en donde concentrarse antes del discurso?
- ¿Hay una botella o jarra de agua y un vaso sobre la mesa?
- ¿Se cuenta con un puntero o señalador?
- ¿La mesa y la silla tienen una altura proporcional y apropiada para el orador?
- El espacio del orador dispone de una luz apropiada para la lectura rápida de sus notas o papeles de trabajo.
- ¿Qué autoridades han confirmado su presencia? ¿Es necesario cambiar el encabezado del discurso por razones protocolares?

Seminarios

Una **conferencia** es la exposición **unidireccional** de un orador hacia su auditorio. En cambio, un **seminario** implica una comunicación **bidireccional** entre el orador y su público: durante la alocución, los asistentes pueden intervenir en forma ordenada, levantando la mano para hacer preguntas o siendo convocados a hablar por el orador.

El orador tiene aquí una doble función:

1. Decir su discurso.
2. Aprovechar las intervenciones de los participantes para aclarar o profundizar su discurso.

Por eso, es importante tener en cuenta que durante un seminario lo que continúa siendo prioritario es el orador y su intervención, antes que lo que puedan decir algunos oyentes ansiosos por participar y ser escuchados. En un seminario, el orador debe procurar volver una y otra vez sobre su propio tema.

Consejos

¡No lo haga!

Nunca lea el título de su conferencia antes de empezar a hablar. En primer lugar, es una redundancia: el auditorio está ahí por usted y es casi seguro que ya sabe de qué hablará. En segundo lugar, transmite una sensación de inseguridad con respecto al tema del cual hablará, como si lo hubiera olvidado o no estuviera muy estudiado. En último lugar (y no menos patético), es una reacción infantil típica de los niños que leen una redacción delante de sus maestros; o sea: se trastocan todos los roles entre el orador y su público.

Consejos

Prohibido fumar

En la mayoría de las salas no está permitido fumar. No obstante, aunque lo estuviera, el orador debe prescindir del cigarrillo durante su intervención. Las razones son múltiples:

- La voz se vuelve ronca y la dicción se entorpece.
- Cuando se utiliza un micrófono, se corre el riesgo de que la exhalación del humo haga acople y suene como un desagradable soplido a través de los altoparlantes.
- Por cortesía, un **fumador invita** a sus interlocutores a fumar. En este caso, es imposible hacerlo. Por lo tanto, abstenerse.

La excepción que confirma la regla

Fumar con estilo

Aunque lo ideal es evitar incomodar al público con el cigarrillo, hay algunas circunstancias en las cuales todo está permitido para el fumador. Suele ocurrir en ámbitos artísticos e intelectuales en donde el orador es conocido por su hábito de fumador empedernido, y muchas veces esta característica es indisociable de la fascinación que provoca en su público. En estos casos, que el orador fume es una muestra de confianza y distensión delante de su auditorio, y genera una corriente de complicidad que asegura el éxito del evento, incluso cuando están presentes no fumadores.

El objetivo, entonces, no es fumar, sino actuar: el acto de fumar debe mostrar el estilo y la distinción propios del orador. Por eso, generalmente suele apelarse a los cigarros, los habanos o la pipa, antes que a un sencillo e insalubre cigarrillo común.

Debates y defensas

Aunque conservan la estructura general de las conferencias y seminarios, los **debates y defensas** son un caso particular porque el auditorio está dividido en dos:

- **Otros oradores** (en los debates) o un panel de superiores (en las defensas) con derecho a tomar la palabra cuando lo crean conveniente.

- El **público en general**, que permanece como espectador del diálogo generado entre el orador y sus oponentes.

Entonces, los **discursos para debates** tienen **dos** tipos de receptores:

- **Los destinatarios**: las respuestas, los argumentos, las ideas, sugerencias o bromas se dirigen a los oradores contrincantes, nunca en general.

- **El blanco o *target***: el público es el juez que finalmente decidirá quién ha sido más convincente. El ingenio y los recursos deben concentrarse en que este tipo de receptor reciba el mensaje sin dirigirse a él.

Cada respuesta debe constituir un pequeño discurso.

Ejemplo:

> *"Los argumentos del señor Z en favor de la pena de muerte son demasiado inmediatos. Permítame preguntarle, señor Z, cuál sería su parecer si la muerte, que es definitiva, fuese el castigo asignado a una persona que después se descubre inocente..."*.

En el caso del ejemplo anterior, no se espera que el señor Z responda, sino que el público se sienta involucrado en las consecuencias de seguir las ideas de Z.

A este recurso se lo denomina **pregunta retórica**, y debe estar seguida por una afirmación fuerte de la propuesta del orador.

Por ejemplo:

"La certeza es privilegio de las divinidades. Somos todos seres humanos y el error es nuestra única certeza. Si somos tan imprudentes como para decidir la muerte de un condenado, nos rebajamos al nivel de simples verdugos".

Nota

Es importante conocer con antelación las reglas protocolares del debate o la defensa.

Aunque hay varias reglas, lo habitual es:

- En los **debates**, se asignan períodos similares a cada orador, durante los cuales no puede ser interrumpido por los otros. Al final, cada uno tiene derecho a un cierre: **procurar tener la última palabra**, como dice el refrán.

- En las **defensas**, el orador debe exponer su punto de vista con solidez, coherencia y moderación, para no ser interpelado por el panel de superiores. Las **afirmaciones categóricas son peligrosas**. Después del tiempo asignado, el panel puede intervenir y el orador principal responder con brevedad a cada uno de sus miembros.

Importante

Anotar todo

Toda pregunta, aun la retórica, debe ser anotada; también la posible respuesta.

En el momento convenido resulta muy impresionante para el público escuchar soluciones originales o diferentes puntos de vista; es decir, cosas impensadas por ellos, pero lúcidamente formuladas por el orador que conoce su tema en profundidad.

A diferencia de los debates, en las **defensas**, el verdadero juez no es el público sino el panel de superiores que evalúa la intervención del orador.

Veredicto de los superiores

- Cuando es **positivo**, se comentan primero los aciertos y luego las disidencias (mínimas). Una pregunta meramente formal cierra cada intervención.

- Cuando es **negativo**, hay dos posibilidades:
  - Una respuesta **sólida y discrepante**. Continúa con múltiples preguntas que ponen en evidencia la flaqueza de la exposición del orador.

- El **silencio**, y a continuación, una pregunta esencial cuya respuesta implica una **ruptura total** entre el orador y el panel.

Desde el punto de vista **de quien defiende**:

- Las **preguntas formales** se responden brevemente.

- Las **preguntas en conjunto** exigen una nueva exposición o referirse a pasajes enunciados previamente.

- Las **preguntas de ruptura** deben anticiparse: "*Este distinguido panel pretende que responda tal y cual cosa... Me permito decir que mis ideas no pretenden cerrar la comunicación, sino abrir un nuevo punto de vista que contribuya a...*".

Reacciones que deben evitarse:

- **Perder la serenidad**. Una respuesta atolondrada o nerviosa conduce directamente al fracaso.

- **Ser demasiado formal**. En definitiva, debates y defensas son diálogos. Familiaridad y soltura inspiran confianza en lo que el orador está diciendo.

- **Respuestas agresivas, hostiles o humillantes**. El público siempre se identifica con la víctima; es preferible ser ingenioso o sarcástico.

- **Interrumpir a otros oradores**. Además de parecer impaciente, quien interrumpa será tildado de descortés o autoritario.

- **No aceptar las bromas**. Para salir del paso hay que sonreír y redirigir el debate al tema principal ("*Aprecio el interés personal –o el humor– del señor X sobre mí... pero creo que estamos acá para resolver...*"). También se puede responder ingeniosamente.

Peticiones y colectas

Las peticiones de ayuda financiera y las colectas públicas requieren tanto del arte de hablar en público como de una fina sensibilidad psicológica.

El orador que intenta recaudar fondos debe apelar en su discurso a dos motivaciones básicas:

- los sentimientos de culpa;
- el interés personal.

Muchas personas dedican su vida a obras benéficas; otras querrían hacerlo, pero nunca se decidirán. Apelar al **sentimiento de culpa** es la clave para que estos últimos ofrezcan de buen grado el dinero que han ganado. Por ejemplo:

> *"Algunos de nosotros tenemos la suerte de disponer del tiempo necesario para trabajar en esta obra de caridad. A otros, en cambio, les resulta imposible a pesar de su deseo. Este es un llamamiento muy especial hacia ellos. Aporten ustedes los medios y nosotros los ayudaremos a que su generosa contribución sirva para combatir el flagelo del cáncer".*

El **interés personal** tiene dos caras: la seguridad y las ventajas económicas. Se pueden obtener importantes donaciones de empresas y particulares tanto apelando a su miedo al futuro como ofreciéndoles desgravación de impuestos. Por ejemplo:

> *"Todos estamos expuestos a esta enfermedad mortal. Espero que ninguno de los presentes deba recurrir nunca a esta institución. Pero quién sabe lo que puede ocurrir en el futuro... Mientras tanto, podemos sentirnos orgullosos si contribuimos generosamente para ayudar a quienes sí nos necesitan".*

La estructura de una petición se basa en el mismo esquema que una venta:

atención - información - deseo - remate.

- **Atención**: el inicio, con una fórmula de cortesía o tal vez relatando una anécdota de contenido humano.

- **Información**: esquematizar los logros y las realizaciones en curso de la institución o sociedad para la cual se pide colaboración.

- **Deseo**: aquí aparece la esencia de este tipo de discursos, en los cuales se motiva mediante culpa o interés personal del auditorio, tal como ya se ha explicado.

- **Remate**: por último, es necesario decir claramente qué se espera y pide al auditorio (dinero, bienes, materiales, etc.).

Solo entonces, después de que se ha preparado convenientemente el terreno psicológico de los oyentes, es el momento de usar la palabra mágica: "*generosidad*".

Discursos al aire libre

Aunque infrecuentes, los discursos al aire libre pueden suceder en las puertas de una fábrica, en un muelle, en un campo de deportes, al pie de un monumento conmemorativo, etcétera.

Presentan características especiales:

- **Lo primero es atraer al público**. Los espacios abiertos dispersan a la gente. Cuando llega el momento en que un orador debe hablar, lo aconsejable es que quienes organizan el evento indiquen a los asistentes que se aproximen al lugar de la alocución.

- **Otra posibilidad** es que sea el orador mismo quien convoque al público. En este caso, las fórmulas de cortesía para el inicio ("*Señoras y señores...*", "*Compañeros...*", etc.) deben repetirse varias veces intercaladas con la convocatoria ("*Solicito su atención...*", "*Sean tan amables de acercarse, por favor...*", etcétera.).

Después de unos minutos, esta acción finaliza cuando los grupos dispersos se han aproximado y el orador pregunta: "*¿Me escuchan bien?*", "*¿Se oye allí atrás?*", etcétera.

Consejos

Volver a empezar

El discurso comienza recién cuando el auditorio está preparado. Habitualmente, las personas más importantes del evento ya están cerca del orador.

Cuando todo está dispuesto, se comienza nuevamente con las fórmulas de cortesía: "*Señor presidente, señores delegados, damas y caballeros...*".

Las pautas generales son:

- **Utilizar el micrófono o un megáfono**, si están disponibles. La voz humana se transmite débilmente en los espacios abiertos. Si no se dispone de amplificadores de sonido, hay que hablar de la manera más sonora posible (a veces, incluso, hay que gritar) para asegurarse de que todos oyen bien.

- El orador al aire libre tiene **mayor libertad de movimientos y ademanes**. Conviene estar parado y acompañar el discurso con movimientos que reafirmen las palabras.

- La **oratoria demagógica y exagerada** es más eficaz en espacios abiertos. No desarrollar argumentaciones complejas sino convocantes. Repetir varias veces el mismo concepto o consigna.

- En estos discursos, los **finales con apelación** al público deben ser más extensos.

- Las **pausas** también deben ser **más largas**. Después de una idea fuerte se debe realizar una primera pausa. Se repite la misma idea con mayor énfasis, y en la siguiente pausa (más extensa) se esperan los aplausos o se mide la reacción del público.

- Si se es objeto de ataques verbales o más contundentes, hay que **dominar el pánico**. El orador tiene la ventaja de estar en una plataforma y usar sus palabras. Si se mantiene la firmeza y se rechazan las provocaciones, hay mejores chances de salir airoso que en los espacios cerrados.

Consejos

En movimiento

Si hay que hablar al público desde un vehículo en movimiento, procurar que este se traslade lentamente (a no más de 10 km por hora). Obviamente, las consignas deben ser puntuales y el discurso, muy breve.

Situaciones peligrosas

Aunque parezca absurdo, **hay ocasiones en las cuales el orador debe defraudar a su auditorio**. ¿Por qué hablar en público, entonces? Hay tres razones fundamentales:

1. porque no se puede evitar debido a las circunstancias físicas;
2. porque es necesario hablar para prevenir consecuencias peores;
3. porque el orador tiene el deber de resolver un problema.

Son, pues, discursos de situaciones límite, que suelen resultar muy peligrosos para el orador. Puede ser que usted nunca se encuentre en una posición semejante; pero si ocurre, de seguro estas indicaciones le serán útiles.

Un ejemplo real

Imaginemos que se ha organizado un evento, cuyo invitado especial es un extranjero al que llamaremos DC. Se trata de una conferencia minuciosamente planeada, para 2.000 personas que han pagado su entrada, y que se llevará a cabo en una disco porque cuando finalice se realizará una fiesta. Sin embargo, ocurre que DC no llega en el momento convenido, medio día antes. Llega el avión, pero él no. ¿Ha enloquecido? ¿Ha muerto? Ojalá, pero no. Sencillamente, DC ha decidido cumplir con otros compromisos que considera más urgentes y deja plantado a su auditorio. El misterio se devela una hora antes del evento, cuyas características hacen que ya esté formada desde temprano una fila de asistentes para ingresar en el local.

¿Qué deben hacer los organizadores? Informar a 20, 50, 100 personas es relativamente fácil; informar y controlar la reacción de 2.000 hace imprescindible a la policía... pero cómo evitar males mayores, desmanes, golpes, represión, etc. Aquí, pues, es cuando se ve el poder político de hablar en público.

Paso a paso

Se decide hacer ingresar en el local a los asistentes, para poder explicar la situación e informar de la postergación del evento o bien el cronograma de devolución de las entradas. Como se ve, el orador que hable delante de esta multitud debe decir algo que desagradará a todos, pero esto no es motivo para que el discurso fracase. Si cumple el objetivo de informar y se evitan males mayores, será un éxito paradójico: un fracaso exitoso. Los siguientes pasos guían esta tarea:

1. **El orador que informe debe estar visible y solo.** Un poco alejado del público, pero no demasiado (en

un escenario es lo ideal). Por supuesto, debe estar custodiado por seguridad, pero esta no debe ser notada ya que solo intervendrá en caso de suma necesidad.

2. **Hablar con tranquilidad** y utilizando un micrófono. La postura de preferencia es estar de pie.

3. **Organizar el discurso**. Primero, pedir disculpas por los inconvenientes. Segundo, informar breve y claramente de lo que ocurre. Tercero, indicar la actitud de los organizadores en dos niveles: a) la responsabilidad total en la solución del problema y b) su condición de damnificados (al igual que el público, en el ejemplo mencionado). Cuarto, volver a pedir disculpas.

4. Aquí es necesaria **una pausa**, para medir la reacción de la multitud. Si es calma o resignada, el orador puede dar por finalizada su intervención y desconcentrar el lugar. En cambio, si es agitada, debe redoblar la apuesta: se ofrecerá él mismo a responder las preguntas de cada uno de los asistentes.

Consejos

Ante muchas personas exaltadas, **nunca** reaccione físicamente o de palabra a los insultos. Su palabra es su escudo: acepte toda responsabilidad, y ponga al resto de las personas en primer lugar con frases del tipo: "*Muy bien, entiendo su enfado, pero tampoco quiero perjudicar más a los otros asistentes, por eso le ruego que me permita responderles a los otros, durante unos momentos, y después seguiremos conversando usted y yo*".

Si se sigue el ejemplo mencionado, pronto se descubre lo inviable de la última propuesta de responder preguntas, teniendo en cuenta la cantidad de personas. Sin embargo, allí radica precisamente su potencia. Por un lado, individualiza a cada oyente; por otro, desactiva el efecto catártico de la multitud, siempre peligroso. En el proceso de individualizar a quienes quieren preguntar o protestar, hacerles llegar un micrófono, responderles largamente, organizar el debate, etc., lo más probable es que la mayoría de las personas comience a salir del local con más resignación que bronca.

Así, el orador fracasó como personalidad y de seguro nunca llegará a ser popular entre quienes lo conocieron, pero su discurso venció.

Importante

A pesar de la opinión de algunos apologistas de escritorio, la multitud no entiende ni sabe... pero ahí es donde reside su fuerza. Es imposible comunicarse con la multitud, pero no con los individuos. Por eso, la clave es particularizar el discurso: dirigirse a *algunos*, nunca a *todos*.

CAPÍTULO 6

El moderador

El moderador es el alma invisible de los eventos.

Si tiene buen humor, su participación siempre se destaca.

Si es demasiado formal, muchos asistentes se retirarán antes del final.

Si está irritado o es antipático, este clima negativo se transmitirá al auditorio.

> *Importante*
>
> El moderador es quien presenta el evento y a cada uno de sus oradores, además coordina las intervenciones y tiene a su cargo el cierre.

Algunas sugerencias previas para moderadores:

- **Marcar el tono** antes de que comience la reunión: formal o informal, festivo, conmemorativo, laboral, etcétera.

- Cuando el acto es reducido, intentar **conocer las opiniones de los demás** antes del comienzo. Esto ayuda a coordinar las intervenciones.

- **No dejarse llevar por la irritación**. Cuanto más agitada se presenta una reunión, más importante será que el moderador mantenga el dominio de sí mismo y los buenos modales.

Importante

Puntualidad

El moderador debe ser el primero en llegar. Conviene estar en la sala unos minutos antes para evitar dificultades o prevenir roces personales.

Si la reunión es reducida, no ignorar a las personas que llegan tarde: con un breve "buenas tardes, gracias por venir", se desvanecen los sentimientos de culpa del recién llegado y se siente predispuesto a participar.

El moderador, según el acontecimiento en el que participa, tiene tres tipos de funciones:

- **Presentar a los oradores**. Nombres y apellidos, títulos y cargos, y todo otro antecedente pertinente.

- **Coordinar las intervenciones**. Esto incluye a oradores y a oyentes que deseen intervenir.

- **Controlar al auditorio**. Tanto en reuniones multitudinarias como en un pequeño comité, el **moderador es quien pone orden**. Incluso si el orador de turno es ineficaz.

Presentaciones

Las presentaciones pueden variar su extensión desde una sola oración hasta varias páginas de discurso.

El moderador **nunca debe**:

- **olvidar** el nombre, títulos y cargos de sus invitados,
- **pronunciarlos** en forma incorrecta.

Antes de la presentación

- **Anotar en un papel**, con letra de imprenta bien legible, los nombres de los oradores.

- **Hacer una lista** ordenada de sus intervenciones.

- **Aunque se los conozca** íntimamente, anotar los nombres es obligatorio. En los peores momentos, la mente se queda en blanco y el desastre es irreparable.

- **Si no se conoce** a las personas que hablarán, pedir a los organizadores que los presenten unos minutos antes. De esta manera, se podrá asociar la persona a su nombre y se evitarán desagradables equívocos.

- Si se tienen dudas sobre **cómo se pronuncia** un apellido, debe preguntarlo y repetirlo para comprobar que su pronunciación es correcta.

- Contar con unas líneas que resuman el currículum o los aspectos más relevantes del presentado.

Cada loco con su tema

Muchas personas son en extremo delicadas cuando se trata de **referir su historia o su trayectoria profesional**. En caso de que el moderador haya **preparado la presentación** sin la ayuda de su invitado, es conveniente que se la muestre rápidamente antes de empezar.

Consejos

Muchas veces, los invitados prefieren omitir ciertos datos o agregar otros.

Si el orador tiene experiencia en participaciones de este tipo, él mismo será quien le entregue al moderador un **papel con su nombre y una síntesis biográfica**.

Nota

Promoción

Al orador le conviene preparar su síntesis biográfica y entregársela al moderador. Este quedará complacido por el servicio, y el orador puede sacar el máximo provecho de sus palabras.

Orador famoso

Si el invitado es muy conocido o una eminencia en su disciplina, puede resultar molesto que el moderador le pida datos de su historia.

En estos casos, es importante que el moderador ya traiga todo preparado:

- **investigue y prepare la presentación como cualquier otro discurso** (según las normas explicadas en los capítulos 1 a 3);
- **coteje los datos con un asistente o secretario** del invitado antes del evento.

Orden y desorden

Básicamente, las tareas del moderador para mantener el orden son tres:

- indicar cuándo habla cada orador o los asistentes que deseen preguntar;
- manejar los tiempos de las intervenciones y del evento en general;
- controlar al auditorio para asegurar el evento.

Consejos

Con clase
Los mejores moderadores coordinan las reuniones con buen humor, tacto, amabilidad y persuasión. Las tiranías acaban mal en cualquier ámbito.

Los turnos para hablar

Las intervenciones deben ser pautadas previamente.

El moderador debe:

1. **saber** de qué hablará cada uno;
2. **organizar** la palabra en base a un desarrollo coherente;

3. **indicar** a cada orador su turno y de cuánto tiempo dispone;
4. **explicitar** en la presentación el tema general del evento y su desarrollo.

Ejemplo:

"El señor Gómez se referirá a la situación política actual; el señor Pérez enfocará el tema de la globalización; en tanto que el señor López hablará sobre un tema de su especialidad: los derechos humanos".

Otra presentación posible sería:

"Nuestro mundo nos exige abordar sus problemas desde diversos ángulos, ocuparnos de la política y la economía sin perder de vista al individuo. En esta mesa se abordarán algunos de estos problemas. El señor Pérez nos brindará un marco general sobre la globalización mundial. El Dr. Gómez analizará la actualidad desde la coyuntura política de nuestro país. Por último, el Lic. López enfocará el tema de los derechos humanos. Dejo ahora la palabra a Pérez, profesor de la universidad tal y cual, etc...".

Administrar el tiempo

Es obligación del moderador hacer respetar los tiempos de cada alocución. Su actuación debe estar guiada por dos lealtades:

- hacia el público;
- hacia los demás oradores, que hablaron antes o que hablarán después.

Lo habitual es que los oradores experimentados respeten sus tiempos. Pero, desgraciadamente, la mayoría de los oradores no tienen gran experiencia y, muchas veces, no respetan su tiempo.

El moderador debe ser, a la vez, cortés y amable, incluso con quien está excedido en su tiempo... ¿Qué debe hacer, entonces?

Desde ya, indicarle al orador que debe terminar de hablar, pero ¿cómo?

Hay dos maneras adecuadas de llevar a cabo esta ingrata tarea:

- Escribir en un papel (que se le alcanzará al díscolo orador mientras habla) el tiempo disponible.
- Combinar con un asistente o ayudante, ubicado en la platea, que mediante una serie de carteles vaya

haciendo saber al orador el tiempo que le resta. Por ejemplo: 10 minutos, 5 minutos, 2 minutos.

Si aun así el orador persiste en su parlamento, el moderador debe dejarlo terminar y, solo entonces, hacer una observación admonitoria. El precio de esa falta de medida al hablar lo pagará el propio orador involucrado... y sin duda sus adversarios o compañeros de conferencia aprovecharán más que nunca la oportunidad de ser breves.

Importante

El arte de escuchar

Los oradores están expuestos a una prueba de fuego mucho más difícil que hablar ante el público: **¡deben escuchar a los otros oradores invitados!** Y de todos los tipos de oradores, el que más sufre esta ordalía casi medieval es el moderador.

Algunos consejos:

- Intente parecer atento a las palabras de los otros, aunque se aburra.
- Recuerde que si se muestra como un buen oyente, también será considerado una persona inteligente y con finos poderes de percepción.
- En cambio, si se duerme, lo tacharán de maleducado.

La ronda de preguntas

Al final de las exposiciones, el moderador debe:

- **Hacer un resumen de lo expuesto** (puede agregar también un comentario con su opinión).

- **Abrir la ronda de preguntas**.

Todos los auditorios son diferentes:

- Algunos públicos hacen preguntas breves y muy precisas (científicos, arquitectos, médicos).

- Otros se extienden en opiniones personales antes de formular una pregunta que, muchas veces, es una afirmación amplia (psicoanalistas, artistas, políticos).

Es preciso que el moderador decida el procedimiento de las preguntas sin perder de vista la coherencia:

- Si las preguntas son extensas, difusas o sin un claro destinatario, el moderador debe:
  - agruparlas de a cuatro o cinco;
  - anotar su planteo general;
  - referirlas a los oradores de a una, para que respondan los que así lo deseen o se sientan aludidos.

- Si las preguntas son breves, precisas y con destinatario claro, debe:
  - ceder la palabra al orador para que responda a medida que se formulan;
  - si aparece un tema interesante, ofrecer de nuevo la palabra al asistente para generar un breve debate.

Importante

Atención: nunca ceder la palabra dos veces al mismo asistente cuando se trate de personas que formulan preguntas extensas o difusas.

En conferencias multitudinarias o con asistentes ansiosos por preguntar, hay que organizar el debate. Para esto:

- Pedir a los asistentes que **anoten sus preguntas** y las entreguen al personal de la organización.

- Al cabo del discurso, hacer **una pausa** para clasificar las preguntas y seleccionar las más interesantes (con la ayuda del orador o sin ella).

- Referir las preguntas al orador, tal como han sido formuladas, para que las responda una a una.

Si hay problemas...

Si las interrupciones, los murmullos o el comportamiento del público impiden que el orador hable, el evento está en peligro. El moderador debe controlar a la audiencia para que esto no ocurra.

Para prevenir el desorden

- **Establecer claramente el procedimiento con antelación** y comunicarlo tanto a los oradores como a los oyentes.

- **No interrumpir al orador** una vez comenzado el discurso.

- Si se establece una **discusión** entre el orador y alguno de sus oyentes, dejar que siga su curso natural hasta que se agote. La intervención del moderador socializa el problema y aumenta las posibilidades de desorden.

- Ser **amable** con todos los presentes y agradecer las intervenciones (aunque sean malintencionadas). Una palabra cortés es el mejor recurso para desarmar a quien busca conflicto.

Si los problemas se **agravan**, el moderador es quien tiene la responsabilidad del evento. En orden de severidad, las medidas que tiene derecho a ejercer son:

- **Pedir silencio** (interrumpiendo al orador, si es necesario). Se debe hacer con tacto y corrección, como una petición por el bien general y sin particularizar a los destinatarios.
  ("Solicito a todos los presentes que hagan silencio y contribuyan al éxito de esta reunión... Mi responsabilidad y mi compromiso es que todas las opiniones podrán ser expresadas.")

- **Advertir a los disidentes**. Con firmeza y mirando hacia el sector problemático, el moderador debe establecer los límites y mostrar sus armas.
  ("Damas y caballeros, orden, por favor. Siento comunicarles que, si las personas que están interrumpiendo el normal desarrollo de esta reunión no desisten de su actitud, me veré obligado a recurrir a medidas más drásticas para garantizar que todas las opiniones puedan ser expresadas.")

- **Expulsar a los revoltosos**. Si el moderador decide esta acción, sin duda la reunión ha fracasado.

Nota

Hay algo aun peor. Debe estar seguro de que cuenta con la fuerza fáctica para lograr el desalojo (personal de seguridad, conserjes, etc.). De lo contrario, fracasará doblemente: con los disidentes y con quienes estaban a su favor.

Las asambleas

Las asambleas son el modelo de debate más protocolar. El moderador designado para coordinar una asamblea debe conocer necesariamente las normas o, si no estuvieran escritas, establecerlas con prudencia, equidad y respeto a todas las opiniones.

Nota

Definición

Las asambleas son reuniones de personas en las que se discuten **temas institucionales y se toman decisiones**.

Consejos

La importancia del protocolo

Los **protocolos** son una serie de reglas fijas que deben seguirse obligatoriamente a la hora de establecer cierto tipo de comunicaciones. Por eso, la característica distintiva de "protocolar" de algunos tipos de discursos implica la obligación de mantenerse dentro de los pasos del protocolo. Si se evitan esos pasos o se los ignora, se corre el riesgo de comprometer seriamente la efectividad comunicativa.

En una asamblea, cada intervención y cada procedimiento reciben una denominación específica:

- **Las actas**: son el registro escrito de lo hablado en una asamblea y el documento que se tomará en cuenta en el futuro para saber cuál fue su resultado.
- **Votación**: los presentes expresan su decisión en forma individual o colectiva. Es tarea del moderador certificar este proceso e indicar el resultado.
- **Lista de oradores**: para hablar, cada asistente debe pedir la palabra anotándose en un listado en poder del moderador.

- **Moción**: cuando hay que tomar una decisión sobre una cuestión, se hace una propuesta o moción. Las mociones no respetan el orden de la lista de oradores y es deber del moderador ponerlas a consideración del auditorio para que sean votadas.

- **Orden del día**: lista de temas a tratar. La asamblea decide si se tratan temas "fuera del orden del día".

- **Cuestión de procedimiento**: cualquiera de los presentes puede plantear en algún momento un debate sobre las pautas de la reunión. Similares a las mociones, estas se dirigen directamente a la actuación del moderador, por lo cual este debe ser muy prudente al aceptarlas o rechazarlas.

- **Intervenciones informativas**: los oradores o el moderador pueden ceder la palabra a técnicos o testigos para que brinden sus opiniones. En este caso, la palabra continúa en poder de quien previamente había solicitado la intervención del especialista.

- **Cuestión previa**: antes de una moción de votación, puede darse lugar a una intervención que se refiera a un problema previo. Se somete a votación y, de ser aprobada, se borra de las actas toda intervención anterior y se comienza nuevamente.

- **Enmienda**: es una modificación de una propuesta o moción. Un moderador eficaz puede inducir a que el autor de una moción modifique o amplíe esta para incorporar la enmienda.

- **Final de la asamblea**: aunque, en rigor, solo el moderador puede poner fin a una asamblea, las circunstancias pueden determinar lo contrario de facto. Ahí radica, precisamente, la particularidad de toda reunión de carácter más o menos político.

CAPÍTULO 7

En otras lenguas

No es raro que se tenga que hablar ante un público cuya lengua materna no es la del orador. El mundo globalizado ha extendido esta posibilidad no solo a las eminencias o expertos en su área, sino también a muchas personas comunes de la industria, los departamentos de ventas e, incluso, las comunidades religiosas. En estos casos, los miedos y problemas que de por sí conlleva esta actividad se multiplican.

Hay dos circunstancias básicas:

a. que el orador hable en el idioma del público,
b. que el orador hable en su propio idioma.

En el idioma del público

Obviamente, la primera situación es la más adecuada. Pero con una condición: **que se domine aceptablemente la lengua extranjera** en dos niveles:

- la pronunciación y la gramática,
- la comprensión auditiva.

La primera condición se necesita para que el público entienda el discurso. La segunda, para que el orador entienda las preguntas que le formulen y tenga la capacidad de responderlas en forma coherente.

Sin embargo, puede ocurrir que el orador conozca la lengua extranjera pero no la domine como para comunicarse efectivamente durante la conferencia. En este caso, una opción válida es leer el discurso. Después, para las preguntas, se deberá contar con un traductor.

Nota

La revisión

No confíe en sus conocimientos lingüísticos. En esta materia, la frase de Sócrates es la regla: "*Solo sé que no sé nada*". Siempre es mejor contratar a un revisor profesional (de preferencia nativo) de la lengua extranjera que corrija su discurso o directamente lo traduzca.

En su propio idioma

Si usted ha sido invitado para hablar, es porque sus interlocutores valoran lo que tiene para decirles y están deseosos de aprender. Considerando esto, la lengua en la que hable es un tema secundario.

Sin embargo, es un deber del orador favorecer la comunicación con su público. Como ya hemos dicho, lo mejor es dominar la lengua extranjera del auditorio. Pero si no se cuenta con esta capacidad, o las deficiencias de pronunciación podrían tornar ininteligibles las palabras, hay que hablar en la lengua propia, apelando a ciertos trucos.

Aquí, nuevamente se abren dos caminos:

- Que las lenguas sean próximas y no requieran de traducción simultánea. Por ejemplo, en los casos del portugués y el español, en ciertos niveles como el académico.

- Que las lenguas o las culturas sean muy distantes, y entonces la traducción sea imprescindible.

En ambos casos, hay que predisponer bien al público para asegurar la recepción. Para esto, hay dos trucos efectivos. Su utilización dependerá del grado de audacia del orador y del tipo de público.

1. Una opción es **preparar unas palabras de saludo en el idioma extranjero**. Este es el procedimiento adecuado cuando se desconoce por completo la otra lengua. No hay que preocuparse por pronunciar

muy correctamente. Es más, el efecto cómico de una mala pronunciación predispondrá bien al público, porque lo que importa es que usted ha hecho un esfuerzo para acercarse a los otros y eso es lo que será valorado positivamente, como una muestra de simpatía.

Como complemento, también pueden prepararse para el final unas palabras de despedida y agradecimiento en lengua extranjera. Los asistentes quedarán encantados. Por ejemplo: *gracias, thanks, merci, obrigado, danke, grazie.*

Agradecer es uno de los actos de habla más significativos. Dependiendo de las circunstancias, enfatizar la lengua en la cual se agradece (la propia o la ajena) sirve para transmitir una mayor intensidad y emoción.

2. Cuando el conocimiento de la lengua ajena es intermedio o muy básico, una opción adecuada es **animarse a hablar más sueltamente en la lengua extranjera** antes de pronunciar el discurso oficial. Otra posibilidad es mezclar varias lenguas, siempre conservando un registro informal de comunicación. De esta manera, se conseguirá un efecto sorpresa doblemente productivo: concentrará la atención del público y a la vez despertará simpatía por reconocer sus limitaciones.

Primer ejemplo:

Comience saludando en su propia lengua y, de repente, pase a hablar en la lengua extranjera para contar una anécdota de tipo humorística que hable sobre el tema de la lengua:

"¿Saben? Muchas veces he intentado aprender vuestra lengua. Cuando conocí al señor X, a quien agradezco esta invitación, vi que él hablaba perfectamente mi lengua y entonces me dio vergüenza seguir intentándolo... Lo que más siento es que mis esfuerzos hayan dado tan magros resultados. Por eso, para evitar futuros malentendidos, espero que me disculpen que vuelva a hablar en mi lengua... además, ¡será un alivio para ustedes!".

Segundo ejemplo:

Comience como un falso políglota con saludos convencionales, y siga en la lengua extranjera del auditorio, antes de pasar al discurso:

"Señoras y señores, mesdames et messieurs, ladies and gentlemen, meine damen und herren... sean todos bienvenidos. Me temo que, como ya se habrán dado cuenta, no sé pronunciar correctamente ni siquiera estas pocas palabras; por tanto, espero que ustedes comprendan que continúe esta exposición hablando en mi propio idioma. A todos nos resultará más fácil...".

Aquí, hay que hacer una pausa para que los asistentes manifiesten su aprobación, comenten y sonrían. Recién entonces se puede seguir hablando.

Otra opción, para el final, es incorporar un pequeño chiste, como el siguiente:

"...Además, los perjuicios que originan los oradores que se obcecan en usar siempre su propia lengua solo son superados por los malentendidos de otros oradores que, sin conciencia de sus límites, producen enormes malentendidos mediante el asesinato de los idiomas ajenos... ¡y el asesinato es un crimen en todos los países del mundo!".

Vale la pena destacar que, en el caso del segundo ejemplo, una pequeña variación puede ser de utilidad incluso para oradores que hablen en la lengua ajena, ya que **el dominio de una lengua que no es la materna nunca es completo**. Por ejemplo:

"Antes de todo, pido disculpas a los oyentes por mi inglés... Hablo vuestro idioma hace años pero aún se me resiste como mi primera novia... Hablaré lentamente, les pido que, si no queda claro algo, me pregunten... de todas maneras, si lo prefieren también puedo hablar en mi propia lengua, aunque la verdad es que no sé si, incluso así, mejorará mucho mi situación...".

La traducción

En los eventos de envergadura internacional, muchas veces se cuenta con traductores profesionales.

Nota

Tipos de traducción

La **traducción simultánea** implica que, a medida que el orador habla, un traductor va traduciendo sus palabras sin interrumpirlo y las retransmite al público a través de un sistema de audición electrónica. De esta manera, el orador no es interrumpido.

La **traducción común**, en cambio, exige que el orador se detenga en cada párrafo o idea, para que luego el traductor transmita lo que ha dicho.

Si bien el orador no puede prever la capacidad de los traductores, sí es de su incumbencia facilitar la correcta recepción de su discurso. Para eso, debe también favorecer la correcta traducción con tres recursos:

a. Si la presentación será **leída**, preparar una copia para entregar a los traductores previamente. De ser posible, y según la disponibilidad de tiempo, se debería concertar una entrevista con los traductores a fin de resolver sus dudas.

b. Si el discurso será **improvisado**, preparar una versión sintética de este en la lengua extranjera, para distribuir a los traductores y que estos sepan aproximadamente de qué tratará el tema.

c. Ya durante el discurso, hay que intentar evitar las expresiones demasiado coloquiales o de uso informal, local o lunfardo, ya que dificultan en extremo la tarea de los traductores, sobre todo en los casos de traducción simultánea.

Importante

No espere hasta último momento para decidir en qué lengua realizará su discurso. Conseguir buenos traductores no es una tarea fácil, y la organización de todo el evento varía cuando es necesario contar con este servicio adicional. Comuníquese con los organizadores lo antes posible para informarles sobre este tema.

CAPÍTULO 8

Ejercicios de entrenamiento

Los ejercicios de oratoria son **conocidos y fáciles** pero pocas veces ejercitados con el esmero adecuado.

> *Importante*
>
> Si se prepara el discurso, se tienen los apuntes, se toman las medidas previas, se conoce el tema y se intuye el auditorio, nada puede salir mal. Si, además, se realizan los ejercicios de entrenamiento, es casi seguro que todo saldrá excelentemente.

Practique en soledad

- **Escriba** su discurso.
- **Léalo en voz alta**, solo, en un ambiente amplio.
- **Proyecte** su voz: diríjala a la pared opuesta.
- Recuerde: mientras **más gente** haya en el auditorio, **más volumen** requerirá su voz.
- Si mientras habla se **olvida** de algo, no "regrese al papel", intente sortear el escollo **improvisando** una salida.
- Si tiene un **micrófono**, úselo en su práctica.

- **Grabe su discurso** y luego escúchese.
- Anote los "**defectos**".
- **Vuelva a practicar**.

Nota

Hablar solo produce cierta **sensación de ridículo, pero pasa pronto**. Encuentre el placer de hilvanar sus palabras.

Cómo utilizar el micrófono

Lo más frecuente es que toda exposición pública necesite de un micrófono. Pero para que todo salga bien, es necesario chequearlo antes.

a. Comprobar su funcionamiento con anticipación. Si no tuvo tiempo, golpear suavemente con el dedo o haciendo un chasquido. Si el micrófono no funciona bien, descartarlo.

b. Ajustar la posición a la altura de la boca, ligeramente por debajo de los labios.

c. Si es un micrófono fijo, se debe tomar todo el tiempo necesario para que quede en el lugar deseado y no se mueva.

d. Si es un micrófono de mano, pegar el codo a la cintura y coordinar los movimientos del antebrazo con los de la cabeza.

Errores comunes

- Dirigirse a una persona sentada junto al orador y "sacar" la voz del micrófono.

- Acercar demasiado la boca al micrófono: esto distorsiona el sonido o produce acoplamiento.

Ejercicios con video

Si tiene una cámara de video, **grabe su ensayo**. De este modo podrá prestarles especial atención a:

- los movimientos de las **manos**;
- los **gestos** y la postura de la espalda;
- su **aspecto** en general;
- su **voz**, ¿es agradable?, ¿es clara?

Y luego tendrá tiempo para corregir alguna de esas características antes de la presentación, si es necesario.

Aprender de los otros

Una persona interesada en saber cómo se habla en público puede obtener valiosa información observando a otros oradores:

- Tratar de identificar las tres partes del discurso.
- Intentar anticipar el final.

- Observar los gestos secundarios. La posición de las piernas, los codos y los hombros.

- Si se escucha una anécdota o chiste interesante, anotarlo.

Práctica con público

Hablar delante de la familia y los amigos puede resultar más difícil que hacerlo frente al Parlamento, pero sin duda las consecuencias son más leves. Inténtelo, a pesar de las posibles críticas.

Nota

Si se logra ser buen orador frente a familiares, seguramente será muy bueno en otros ámbitos.

Preguntar en las reuniones

Otra forma de entrenamiento "con público" es participar en la ronda de preguntas en eventos que lo permitan.

Ensayar dos tipos de preguntas:

- **Primero**: pensar y formular preguntas breves y precisas. Cuando sea el turno, concentrar la atención en la voz para que todo el auditorio las escuche.

- **Segundo**: superado este "escollo", se puede intentar formular preguntas más largas.

Las preguntas extensas se estructuran como pequeños discursos: se argumenta a partir de alguna frase del orador principal, luego se formula la pregunta.

Consejos

Cuidado con los papelones

La práctica con público mediante preguntas puede resultar peligrosa para quienes no tienen una idea clara de lo que quieren preguntar, y tan solo desean mostrarse a los otros. Un consejo: pregunte por necesidad o por curiosidad, pero **nunca pregunte para destacarse**. Esto último es un camino rápido al descrédito.

La vergüenza

Para combatir la vergüenza, solo hay un método: atreverse. La única forma de adquirir experiencia es poniéndose de pie y hablando a los demás.

Ejercicio:

- **Elegir un evento** social familiar o amistoso.
- **Estudiar** las circunstancias y decidirse a hablar.
- En el momento indicado, **llamar la atención** de los asistentes y **comenzar el discurso**.

¡Suerte!

La primera vez

Para moderar el nerviosismo del debut, hay varios recursos:

- Antes de su discurso, permanecer en soledad unos minutos. De ser posible, acostarse y relajarse.

- Realizar algún ejercicio de respiración: aspirar y exhalar profundamente.

- Antes de hablar, repetir este ejercicio.

La última palabra

A lo largo de estas páginas se intenta brindar una síntesis modernizada de una vieja técnica que surgió en Grecia aproximadamente en el siglo V a. C. Sus máximos representantes fueron dos sofistas llamados Protágoras y Gorgias, que enseñaban los rudimentos de este "arte de la persuasión"a quienes podían pagar sus servicios. A lo largo de los siglos, este arte fructificó y recibió el nombre de **Retórica**, y fue modificándose una y otra vez junto con los mismos vaivenes de la historia.

Sin embargo, no todo es arte. Siendo una actividad de la palabra viva y de la comunicación interpersonal, la retórica es también una forma de convertirse en individuos singulares. Por eso, ninguna de las leyes formuladas en este libro es *obligatoria*. Es usted quien tiene que decidir cuáles de estas propuestas son las mejores para llevar a cabo sus objetivos de comunicación, y para constituirlo como persona delante de los demás.

Lo importante es que usted se sienta cómodo al hablar.
Conózcase frente a los demás a través de sus propias palabras.
Ejercite su personalidad hablando con otros.
Es usted quien tiene que adaptar la técnica a su carácter único.
Es usted quien tiene la última palabra.

Perfil del autor

Rodrigo Fernández Labriola nació en Buenos Aires el 9 de abril de 1968. Es licenciado en Letras Modernas Extranjeras (Universidad de Buenos Aires) y Máster en Estudios Literarios (Universidad Federal Fluminense - Brasil).

Actualmente es becario del Consejo Nacional de Pesquisa del Brasil y cursa el doctorado en Literatura Comparada en la Universidad Estatal de Río de Janeiro, donde reside desde 2002.

Trabajó como guionista de historietas en las revistas *El Tony*, *Nippur* e *Intervalo*, y en otras editoriales de Argentina, México y Brasil. Fue jefe de redacción de la revista *La Posta*; coproductor y coguionista del documental *David Carson en Argentina*, y crítico de cine para diversos *sites* de Internet. Publicó las biografías de Diego Maradona (*De la mano de Dios a sus botines*) y de Armando Bo (*La gran aventura de Armando Bo*), ambas en coautoría con Denise Nagy. En 2003, la editorial Simurg publicó su primera novela, titulada *Demonio Episodio Amaestrado*, con el pseudónimo de R. Leicester.